Parroquia
Nuestra Señora del Carmen
Hatillo, Puerto Rico

Cancionero Parroquial
Tiempo Ordinario

Preparado por:
Ministerio musical Parroquial Coro Cáritas
2020

1. A DONDE VOY

Coro:
Caminando voy sin saber muy bien
qué sendero andar, hacia dónde ir.
Hoy me pregunté si sé dónde estoy,
dónde comencé, cuál será mi fin,
para qué vivir.

Como el río soy que hacia el mar se va,
Donde va a morir y resucitar.
quiero hacer el bien en mi caminar,
que a mi paso dé flores el jardín,
panes el trigal.

Coro

En mi corazón luchan sin cesar
lo que quiero ser y la realidad.
En mi corazón quiso Dios sembrar
ansias de vivir, sed de plenitud
y felicidad.

Coro

2.   A TU LADO SEÑOR

// Jesucristo yo siento tu voz.
Tú me has dicho: "Ven y sígueme
déjalo todo y dalo a los pobres.
Confía siempre porque a tu lado estoy" //

Aquí Señor tienes mi vida
que quiere ser presencia de tu amor.
Te serviré entre los hombres
porque a tu lado quiero caminar.

Aquí Señor tienes mi vida
que quiere ser presencia de tu amor.
Te serviré entre los hombres,
si no respondo vuélveme a llamar.

Si no respondo vuélveme a llamar. (Final)

3. ACEPTA SEÑOR

Acepta Señor nuestro Pan,
fruto del trabajo,
Acepta Señor nuestro Pan
y tómalo con amor.

**//Mira Señor nuestra ofrenda,
mira, mira, nuestro corazón.//**

Acepta Señor nuestro vino,
fruto de tu viña,
Acepta Señor nuestro vino
y tómalo con amor.

**//Mira Señor nuestra ofrenda,
mira, mira, nuestro corazón.//**

Acepta Señor nuestra vida,
que busca la salvación,
Acepta Señor nuestra vida
y tómala con amor.

**//Mira Señor nuestra ofrenda,
mira, mira, nuestro corazón.//**

4. ALABANZA AL PADRE
(Por Aníbal Arbelo)

A ti, Padre del amor,
del Verbo encarando,
Espíritu de Luz

Quiero Darte
las gracias, mi Padre,
por tu inmenso amor
que has puesto en mí.

Alabanza, alabanza a Ti
alabanza Padre Eterno del amor.

Alabanza y gloria a Ti.
Alabanza y gloria a Ti.

Cáritas

5. ALABARÉ

**//Alabaré, alabraré, alabaré, alabaré,
alabaré a mi Señor.//**

Juan vio el número de los redimidos,
y todos alababan al Señor.
Unos oraban, otros cantaban
y todos alababan al Señor.

**//Alabaré, alabraré, alabaré, alabaré,
alabaré a mi Señor.//**

Todos unidos, alegres cantamos
gloria y alabanza al Señor
Gloria al Padre, Gloria al Hijo,
Gloria al Espíritu de Amor.

**//Alabaré, alabraré, alabaré, alabaré,
alabaré a mi Señor.//**

Somos tus hijos, Dios Padre Eterno
tú nos has creado por amor.
Te adoramos, te bendecimos
todos cantamos en tu honor.

**//Alabaré, alabraré, alabaré, alabaré,
alabaré a mi Señor.//**

6. ALEGRE LA MAÑANA

Coro:

**//Alegre la mañana que nos habla de ti
Alegre la mañana.//**

En nombre de Dios Padre,
del Hijo y del Espíritu
salimos de la noche
y estrenaremos la aurora.
Saludamos el gozo
de la luz que nos llega
resucitada y resucitadora.

Coro

Regresa desde el sueño
el hombre a su memoria,
acude a su trabajo,
madruga a sus dolores.
Le confías la tierra,
y a la tarde la encuentras
rica de pan y amarga de sudores

Coro

Tu mano acerca al fuego,
a la sombría tierra,
y el rostro de las cosas
se alegra en tu presencia
Silabeas el alba
igual que una palabra,
Tú pronuncias el mar como sentencia

Coro

7. ALEGRÍA DE VIVIR

Cantando la alegría de vivir
lleguemos a la Casa del Señor
marchando todos juntos como hermanos
andemos los caminos hacia Dios.

Venid, entremos todos dando gracias,
venid, cantemos todos al Señor,
gritemos a la roca que nos salva,
cantemos la alabanza a nuestro Dios.

Que la paz del Señor sea con vosotros,
la paz del que llena sola el corazón
la paz de estar unidos como hermanos,
la paz que nos promete nuestro Dios.

Entremos por las puertas dando gracias,
pidamos al Señor también perdón,
perdón por nuestra falta a los hermanos,
perdón por nuestro pobre corazón

Sabed que Dios nos hizo y somos suyos,
sabed que el Señor es nuestra vida,
nosotros somos pueblo y las ovejas,
ovejas del rebaño del Señor

8. ALFARERO

Gracias, quiero darte por amarme.
Gracias quiero darte yo a ti, Señor.
Hoy soy feliz porque te conocí,
gracias por amarme a mí también

Te conocí y te amé.
Te pedí perdón y me escuchaste.
Si te ofendí, perdóname Señor,
pues te amo y no te olvidaré

Yo quiero ser, Señor amado,
como el barro en manos del alfarero.
Toma mi vida, hazla de nuevo,
yo quiero ser, yo quiero ser
un vaso nuevo.

9. ALGO ESTÁ CAYENDO AQUÍ

// Algo está cayendo aquí.
Es tan fuerte sobre mí.
Mis manos levantaré,
y su gloria tocaré. //

//Está cayendo,
su gloria sobre mí,
sanando mis heridas,
levantando al caído
Su gloria está aquí//

Su gloria está aquí...

Algo está cayendo aquí.
Es tan fuerte sobre mí.
Mis manos levantaré,
y su gloria tocaré.

//Está cayendo,
su gloria sobre mí,
sanando mis heridas,
levantando al caído
Su gloria está aquí//

Su gloria está aquí
Su gloria está aquí
Su gloria está aquí

10. ALMA DE CRISTO

Alma de Cristo, santifícame.
Cuerpo de Cristo, sálvame.
Sangre de Cristo, embriágame.
Agua del costado de Cristo, lávame.
Pasión de Cristo, confórtame.
Oh buen Jesús, óyeme.

Dentro de tus llagas, escóndeme.
No permitas que me aparte de ti.
Del enemigo malo, defiéndeme.

En la hora de mi muerte, llámame
y mándame ir a Ti.
Para que con tus santos te alabe.
Por los siglos de los siglos...

Amén.

11. ALMA MISIONERA

Señor toma mi vida nueva
antes de que la espera
desgaste años en mí.
Estoy dispuesto a lo que quieras,
no importa lo que sea,
tu llámame a servir

Coro

**//Llévame donde los hombres
necesiten tus palabras
necesiten mis ganas de vivir.
Donde falte la esperanza,
donde falte la alegría
simplemente por no saber de ti.//**

Te doy mi corazón sincero
para gritar sin miedo
lo grande que es tu amor.
Señor tengo alma misionera
condúceme a la tierra
que tenga sed de ti.

Coro

Y así en marcha iré cantando
por pueblos predicando
tu grandeza Señor.
Tendré mis manos, sin cansancio
tu historia entre mis labios
y tu fuerza en la oración.

12. AMADO

Amado, amémonos unos a otros, a otros
porque el amor es de Dios
y todo el que ama es nacido de Dios
y conoce a Dios.

El que no ama, no es de Dios
porque Dios es amor, Dios es amor.
Amado, amémonos unos a otros.

Por eso, tienes que un niño,
tienes que ser un niño *oh, oh, oh.*
Tienes que ser un niño
para ir al cielo.

Al cielo, con mi Cristo.

Tienes que ser un niño,
tienes que ser un niño, *oh, oh, oh,*
Tienes que ser un niño
para ir al cielo.

Al cielo, con mi Cristo.

13. AMAR CON OBRAS

Para entrar al cielo no basta con quererlo
la llave del reino es amar, tus mandamientos

**Sólo el amor hecho obras quedará
cuando me encuentre contigo tú me reconocerás
Ayúdame a con obras demostrar
lo que creo, pues las palabras
el viento se las llevará**

Caridad me pides, no sólo sacrificios
hay que amar con obras
por amor, virtudes sólidas

**Sólo el amor hecho obras quedará
cuando me encuentre contigo tú me reconocerás
Hacer tu voluntad y vivir con humildad
por amor, a ti Señor, a mí mismo renunciar**

Creo en ti, espero en ti, te amo Señor,
ayúdame a decir esto con obras *(con obras)*

**Sólo el amor hecho obras quedará
cuando me encuentre contigo tú me reconocerás
Hacer tu voluntad y vivir con humildad
por amor, a ti Señor, a mí mismo renunciar.**

Para entrar al cielo, no basta con quererlo.

14. AMAR ES ENREGARSE

Amar es entregarse,
olvidándose de sí
// buscando lo que al otro
pueda hacer feliz. //

**Qué lindo es vivir para amar,
qué grande es tener para dar.
// Dar alegría, felicidad,
darse uno mismo, eso es amar. //**

Si amas como a ti mismo
y te entregas a los demás
// verás que no hay egoísmo
que no puedas superar. //

**Qué lindo es vivir para amar,
qué grande es tener para dar.
// Dar alegría, felicidad,
darse uno mismo, eso es amar. //**

Si olvidas los sufrimientos,
si piensas en los demás
// Dios siempre será tu amigo,
amigo de eternidad. //

**Qué lindo es vivir para amar,
qué grande es tener para dar.
// Dar alegría, felicidad,
darse uno mismo, eso es amar. //**

15. AMARTE SOLO A TI

Coro

// Amarte solo a ti, Señor. //
Amarte solo a ti, Señor
y no mirar atrás.
Seguir tu caminar, Señor,
seguir sin desmayar, Señor,
postrado ante tu altar, Señor
y no mirar atrás.

// El pan que Tú nos das Señor. //
El pan que Tú nos das Señor
nos da inmortalidad
Quien coma de este pan, Señor,
dijiste Tú a la multitud,
tendrá en si la vida inmortal
en tu Reino, Señor.

Coro

// Hoy vengo ante tu altar, Señor.//
Hoy vengo ante tu altar, Señor,
hoy dame de ese pan.
Tengo hambre y sed de ti, Señor,
qué largo es mi caminar,
ven pronto junto a mi Señor
y dame de tu pan.

Coro

16. AMÉMONOS DE CORAZÓN

Coro

**//Amémonos de corazón
no de labios ni de oídos//**

**// Para cuando Cristo venga,
para cuando Cristo venga
nos encuentre preparados. //**

//Como tú puedes orar
enojado con tu hermano//
// Dios no oye la oración
Dios no oye la oración
si no estas reconciliado. //

Coro

//Qué recompensas tendrás
Cristo nos ha preguntado.//
// Si te dispones a amar
si te dispones a amar
solo para ser amado. //

**//Amémonos de corazón
no de labios ni de oídos//**

**// Para cuando Cristo venga,
para cuando Cristo venga
nos encuentre preparados. //**

17. AMOR A CRISTO REY

Coro

Amor a Cristo Dios, Divino Rey.
Rija en los pueblos por siempre su Ley.
Su nombre suene de uno a otro confín.
Su imperio no tendrá fin.

Te juramos Rey Divino,
tu fe santa difundir.
Enséñanos el camino
que debemos de seguir.

Coro

Hijos somos de la Iglesia,
campeones de la fe.
Y desde el cielo una fuerza
nos anima hasta vencer.

Coro

Nuestra insignia es de la bandera
coronada de una cruz.
Y en su fondo reverbera
santa imagen de Jesús

Coro

Dios lo quiere es nuestro Cristo,
lo digamos sin cesar.
Defender a Jesucristo
en la lucha contra el mal.

Coro

18. AMOR ES VIDA

// Amor es vida, vida es alegría,
quien nunca amo, vivió sin ilusión. //
// Alegres cantan sus melodías
las ansiedades del corazón. //

**Alegre estoy, cantando voy,
este es el día que hizo el Señor. (2)**

// Cuanto recuerdo aquel amor divino
que siendo Dios, al suelo descendió. //
// Mi alma canta mi alma goza,
porque la vida me dio el Señor. //

**Alegre estoy, cantando voy,
este es el día que hizo el Señor. (2)**

// Yo soy feliz por cada día nuevo
por la ilusión de ver amanecer. //
// Por las estrellas y por el cielo,
por la alegría de renacer. //

**Alegre estoy, cantando voy,
este es el día que hizo el Señor. (2)**

// Por los caminos áridos del mundo
busco la huella de un amor feliz. /
// Soy peregrino, soy vagabundo
un cielo eterno brilla hoy en mí. //

**Alegre estoy, cantando voy,
este es el día que hizo el Señor. (2)**

19. ANDANDO POR EL CAMINO

Andando por el camino te tropezamos Señor,
te hiciste el encontradizo, nos diste conversación.
Tenían tus palabras fuerza de vida y amor,
ponían esperanza y fuego en el corazón.

// Te conocimos, Señor, al partir del pan.
Tú nos conoces, Señor, al partir el pan. //

Llegando a la encrucijada, Tu proseguías Señor,
te dimos nuestra posada, techo, comida y calor.
Sentados como amigos al compartir el cenar
allí te conocimos al repartirnos el pan.

// Te conocimos, Señor, al partir del pan.
Tú nos conoces, Señor, al partir el pan. //

Andando por el camino te tropezamos Señor,
en todos los peregrinos, que necesitan amor
Esclavos y oprimidos que buscan la libertad,
hambrientos, desvalidos a quienes damos el pan

// Te conocimos, Señor, al partir del pan.
Tú nos conoces, Señor, al partir el pan. //

20. ÁNGELES DE DIOS

Sí, sientes un murmullo muy cerca de ti,
es un ángel llegando para recibir
todas tus oraciones y elevarlas a Dios.
Hoy, abre el corazón y comienza a alabar,
el gozo del cielo esta sobre el altar,
hay un ángel llegando y bendición en sus manos.

Coro
Hay, ángeles presentes en este lugar,
en medio del pueblo y junto a altar,
subiendo y bajando en todas las direcciones.
No sé, si la iglesia subió o si el cielo bajó,
sí sé que está lleno de ángeles de Dios
porque el mismo Dios está aquí.

Cuando los ángeles llegan la Iglesia se alegra,
ella canta, ella ora, ella ríe y congrega
enfrenta al infierno y combate el mal.
Siente la brisa del vuelo, de tu ángel ahora,
confía hermano pues esta es tu hora,
la bendición llegó y te la vas a llevar.

Coro

Cuando los ángeles llegan la Iglesia se alegra,
ella canta, ella ora, ella ríe y congrega
enfrenta al infierno y combate el mal.
Siente la brisa del vuelo, de tu ángel ahora,
confía hermano pues esta es tu hora,
la bendición llego y te la vas a llevar

Coro
Coro A cappella
Coro más rápido

21. BENDIGAMOS AL SEÑOR

Coro

**Bendigamos al Señor
que nos une en caridad
y nos nutre con su amor
en el pan de la unidad.
Oh Padre Nuestro.**

Conservemos la unidad
que el Maestro nos mandó
donde hay guerra, que haya paz.
donde hay odio, que haya amor.
Oh Padre Nuestro

Coro

El Señor nos ordenó
devolver el bien por mal,
ser testigos de su amor
personando de verdad.
Oh Padre Nuestro.

Coro

Al que vive en el dolor
y al que sufre soledad
entreguemos nuestro amor
y consuelo fraternal.
Oh Padre Nuestro.

Coro

22. BENDITO SEA DIOS

Bendito, bendito, bendito sea Dios.
// Los ángeles cantan y alaban a Dios. //

Yo creo Jesús mío que estás en el altar
//oculto en la hostia te vengo a adorar//

Bendito, bendito, bendito sea Dios.
// Los ángeles cantan y alaban a Dios. //

Adoro en la hostia el Cuerpo de Jesús
//y en el cáliz la sangre que dio por mí en la cruz.//

Bendito, bendito, bendito sea Dios.
// Los ángeles cantan y alaban a Dios. //

Por amor del hombre moriste en una cruz
//y al cáliz desciendes por nuestra salud.//

Bendito, bendito, bendito sea Dios.
// Los ángeles cantan y alaban a Dios. //

Jesús Rey del Cielo está en el altar
//su Cuerpo y su Sangre nos da sin cesar.//

Bendito, bendito, bendito sea Dios.
// Los ángeles cantan y alaban a Dios. //

23. BIENAVENTURADOS

Bienaventurados, pobres de la tierra,
porque de ustedes es el reino de Dios.

Bienaventurados los que pasan hambre,
los que lloran sangre por amor a Dios.

Coro

**Alégrense y llénense de gozo,
porque les esperan maravillas en el cielo.
Alégrense y llénense de gozo,
bienaventurados serán.**

Bienaventurados los desesperados,
serán consolados por Jesús, el Rey.

Si eres buen amigo, si eres buen vecino,
estará contigo nuestro hermano, Jesús.
Coro

Bienaventurados los sacrificados
los desamparados serán grandes ante Dios

Tiende más tu mano, haz a todos hermanos
con tu cristianismo y amor a Dios

Coro

bienaventurados ...... serán.

24. CAMINARÉ EN PRESENCIA DEL SEÑOR

//Caminaré en presencia del Señor//

Amo al Señor, porque escucha mi voz suplicante.

//Caminaré en presencia del Señor//

Me envolvían redes de muerte,
me alcanzaban los lazos del abismo.

//Caminaré en presencia del Señor//

Invoqué el nombre del Señor: "Señor, salva mi vida".

//Caminaré en presencia del Señor//

El Señor es benigno y justo, nuestro Dios es compasivo.

//Caminaré en presencia del Señor//

El Señor guarda lo sencillo; estando yo sin fuerzas me salvó.

//Caminaré en presencia del Señor//

Alma mía recobra tu calma, que el Señor fue bueno contigo.

//Caminaré en presencia del Señor//

25. CANTEMOS AL AMOR DE LOS AMORES

Cantemos al amor de los amores,
cantemos al Señor, Dios está aquí,
venid adoradores,
adoremos a Cristo Redentor.

Coro
Gloria a Cristo Jesús, cielos y Tierra
bendecid al Señor.
Honor y gloria a ti, Rey de la Gloria
Amor por siempre a ti, Dios del amor.

Por nuestro amor oculta en el Sagrario
su gloria y esplendor
para nuestro bien se queda
en el Santuario
esperando al justo pecador.
Coro

Oh gran prodigio del amor divino
milagro sin igual
prenda de amistad, banquete
al peregrino
donde se come el Cordero celestial...
Coro

Jesús piadoso Rey de las victorias,
a ti loor sin fin;
canten tu poder, autor
de nuestras glorias,
Cielo y Tierra hasta el último confín
Coro

Al pie de tu sagrario nos convidas
a recibir tu amor
porque tú, Jesús, al alma
das la vida
y la llenas de fuerza y valor.

26. CÁNTICO CELESTE

En tu ser un dulce canto gozarás.
Qué alegría, cada día.
Y aunque penas y tristezas tu tendrás,
en tu ser un dulce canto gozarás.

**//Cántico Celeste en la noche tendrás,
sí en tu corazón surge la aflicción.
Fácil es cantar cuando estas en la paz,
pero en el dolor es mejor cantar. //**

Ya la noche partirá con su pavor.
De tus pruebas ya no temas.
Hoy trabaja, ora y sirve a tu Señor.
Pronto el sol alumbrará tu corazón.

**//Cántico Celeste en la noche tendrás,
sí en tu corazón surge la aflicción.
Fácil es cantar cuando estas en la paz,
pero en el dolor es mejor cantar. //**

27. CON MI FE TE ALCANZARÉ

//Yo sé que estas aquí
siento tu caminar
te mueves entre el pueblo
trayendo sanidad.//

//Con mi fe te alcanzaré
con mi fe te tocaré
mil milagros recibiré
y sé que transformado yo seré.//

//Yo sé que estas aquí
siento tu caminar
te mueves entre el pueblo
trayendo sanidad.//

//Con mi fe te alcanzaré
con mi fe te tocaré
mil milagros recibiré
y sé que transformado yo seré.//

//Y sé que transformado yo seré//

28. CON NOSOTROS ESTÁ

Coro

**Con nosotros está y no le conocemos
con nosotros está, su nombre es el Señor**

Su nombre es el Señor y pasa hambre
y clama por la boca del hambriento
y muchos que lo ven pasan de largo,
acaso por llegar temprano al templo.
Coro
Su nombre es el Señor y sed soporta
y está en quien de justicia va sediento
y muchos que lo ven pasan de largo
a veces ocupados en sus rezos.
Coro
Su nombre es el Señor y está desnudo
la ausencia del amor hiela sus huesos
y muchos que lo ven pasan de largo,
seguros y al calor de su dinero
Coro
Su nombre es el Señor y enfermo vive,
y su agonía es la del enfermo
y muchos que lo saben no hacen caso,
tal vez no frecuentaba mucho el templo.
Coro
Su nombre es el Señor y está en la cárcel,
esta en la soledad de cada preso
y nadie lo visita y hasta dicen tal vez este no era de los nuestros.
Coro
Su nombre es el Señor, el que sed tiene
Él pide por la boca del hambriento,
está preso, está enfermo, está desnudo
pero Él nos va a juzgar por todo esto.
Coro

29. COROS AL ESPÍRITU SANTO

//Pon aceite en mi lámpara Señor.
Pon aceite en mi lámpara Señor
que yo quiero servirte con amor,
pon aceite en mi lámpara Señor.//

Señor Jesús eres mi vida.
Señor Jesús eres mi amor.

//Salvaste mi alma perdida
por eso te alabo con el corazón.//

//Satúrame Señor con tu Espíritu.
Satúrame Señor con tu Espíritu.//

//Y déjame sentir el fuego de tu amor
aquí en mi corazón, Señor.//

//Ven, ven, ven Espíritu Divino.
Ven, ven, ven acércate a mí.//

//Apodérate, apodérate,
apodérate de todo mi ser.//

30. CRISTO TE AMO

// Cristo te amo, acércame a ti Señor
Cristo te amo me entrego en adoración. //

CORO
**Levantaré mi voz y en adoración
mi corazón dirá a tu corazón
palabras de verdad que quieres escuchar
son solo para ti, Señor**

Cristo te amo, acércame a ti Señor
Cristo te amo me entrego en adoración.

CORO
**Levantaré mi voz y en adoración
mi corazón dirá a tu corazón
palabras de verdad que quieres escuchar
son solo para ti, Señor**

CORO (A CAPPELLA)

**Levantare mi voz y en adoración
mi corazón dirá a tu corazón
palabras de verdad que quieres escuchar
son solo para ti, Señor**

Coro Final (Con Música)

**palabras de verdad que quieres escuchar
Son solo para ti, Señor**

31. CRISTO TE NECESITA PARA AMAR

// Cristo te necesito para amar, para amar.
Cristo te necesita para amar. //

Coro
//No te importen las razas
ni el color de la piel
ama a todos como hermanos
y haz el bien //

//Al que sufre y al triste dale amor, dale amor
al humilde y al pobre dale amor. //

Coro

//Al que vive a tu lado, dale amor, dale amor
al que viene de lejos dale amor.//

Coro

//Al que habla otra lengua, dale amor, dale amor,
al que piensa distinto dale amor.//

Coro

//Al amigo de siempre, dale amor, dale amor,
y al que no te saluda, dale amor. //

Coro

32. CUAN BELLO ES EL SEÑOR

Cuan bello es el Señor,
cuan hermoso es el Señor
Cuan bello es el Señor,
hoy le quiero adorar.

**// La belleza de mi Señor
nunca se agotará
La hermosura de mi Señor
siempre resplandecerá. //**

Cuan bello es el Señor,
cuan hermoso es el Señor
Cuan bello es el Señor,
hoy le quiero adorar.

**// La belleza de mi Señor
nunca se agotará
La hermosura de mi Señor
siempre resplandecerá. //**

33. CUANDO EL PUEBLO ALABA A DIOS

// Cuando el pueblo alaba a Dios
suceden cosas, suceden cosas maravillosas.//

// Hay sanación, liberación
y se siente la bendición //

// Cuando el pueblo alaba a Dios
suceden cosas, suceden cosas maravillosas//

// Hay santidad, fraternidad
y se vive la libertad//

Los que esperan en Jesús

//// Los que esperan,
los que esperan en Jesús ////

// Como las águilas, como las águilas,
sus alas levantarán //

Caminarán y no se cansarán
correrán, no se fatigarán

// Nuevas, fuerzas tendrán //
los que esperan, los que esperan en Jesús

(Los que aman, creen, siguen, sirven)

34. DAME DE BEBER

Quiero estar en tu presencia,
y poderte contemplar.
Necesito estar contigo,
necesito adorar.

**// Dame de beber, de tu, manantial,
dame de beber, necesito más //**

Quiero estar en tu presencia,
y poderte contemplar.
Necesito estar contigo,
necesito adorar.

**// Dame de beber, de tu, manantial,
dame de beber, necesito más //**

35. DAME LA MANO

No importa del sitio que vengas,
pueblo o campo, todo es igual
Si tu corazón es como el mío
dame la mano y mi hermano serás.

**// Dame la mano, dame la mano
dame la mano y mi hermano serás. //**

No importa la raza que seas,
pobre o rico, Cristo te amará.
Si tu corazón es como el mío
dame la mano y mi hermano serás.

**// Dame la mano, dame la mano
dame la mano y mi hermano serás. //**

36. DANOS UN SOLO CORAZÓN

Señor tu eres camino,
Señor tu eres verdad,
Luz en nuestra oscuridad.
Hoy Señor te pedimos,
que nos acerques a ti.
Danos un solo corazón.

CORO
Danos Señor, un corazón limpio y puro,
danos Señor, tu paz y tu amor,
déjanos ver el día
en que todos vivamos unidos
por siempre en tu amor,
danos un solo corazón.

Queremos que nos acompañes,
en nuestro caminar,
juntos de la mano hacia ti.
Tu cuerpo nos da fortaleza,
tu sangre nos llena de amor,
danos un solo corazón.

CORO

Danos Señor, un corazón limpio y puro,
danos Señor, tu paz y tu amor,
déjanos ver el día
en que todos vivamos unidos
por siempre en tu amor,
danos un solo corazón.

CORO A CAPPELLA

37. DÉJAME NACER DE NUEVO

Tú conoces la dureza en mi sentir
y la terquedad que hay en mi corazón:
son las cosas que me alejaron de ti, Señor.
Hazme renacer en tu amor.

Déjame nacer de nuevo.
Déjame nacer de nuevo
Déjame nacer de nuevo, Señor

No importa la edad que tenga,
tú no lo tienes en cuenta.
Déjame nacer de nuevo, Señor

Tú conoces el pecado que hay en mí
y el dolor que éste dejó en mi corazón.
Por la muerte que he causado, vuelvo a ti Señor.
Dame vida nueva con tu amor.

38. DEMOS GRACIAS AL SEÑOR

**//Demos gracias al Señor,
demos gracias
demos gracias al Señor.//**

Por las mañanas yo me levanto
el día canta y yo canto al Creador.
Y en la mañana las aves cantan
sus alabanzas a Cristo Salvador

**//Demos gracias al Señor,
demos gracias
demos gracias al Señor. //**

Cuando la noche se despereza
con sueño reza y yo rezo al Creador
y por las noches los coquíes cantan
las alabanzas a Cristo Salvador.

**//Demos gracias al Señor,
demos gracias
demos gracias al Señor. //**

//Cuando en mi pecho la vida siento
mi pensamiento sonríe al Creador.//

**//Demos gracias al Señor,
demos gracias
demos gracias al Señor.//**

39. DEN AL SEÑOR SUS ALABANZAS

Coro
// Den al Señor sus alabanzas,
denle poder, honor y gloria.
A una voz
canten un himno al Señor. //

En siete días, creo Dios al mundo
Adán pecó y perdió el Cielo
Jesús vino para redimirnos
murió en la cruz y nos salvó.

Coro

A Moisés Dios dijo: "Haz mi pueblo libre
Yo seré tu guía, siempre sígueme."
Salidos ya de Egipto, el mar pasaron,
cantaron y bailaron, se llenaron de júbilo.

Coro

Jesús dijo a Pedro: "Ven te llamo.
El camino es duro más iré contigo."
Pedro respondió: "Soy un pescador."
Tiró sus redes y hacia el Señor corrió.

Coro

Entrégate hermano al Señor Jesús.
Él te ama, aunque seas pecador.
Él pago el precio de tu salvación
y ahora eres una nueva creación."

Coro

40. DIGNO DE ALABAR

// Levanto mis manos
cierro mis ojos
para proclamar tu nombre
Dios de poder. //

// Digno de alabar, Señor
Gloria y Majestad sean a ti.
Rey de la creación, por siempre
Amén. //

// Levanto mis manos
cierro mis ojos
para proclamar tu nombre
Dios de poder. //

// Digno de alabar, Señor
Gloria y Majestad sean a ti.
Rey de la creación, por siempre
Amén. //

41. DIOS ESTÁ AQUÍ

// Dios está aquí.
Tan cierto como el aire que respiro,
tan cierto como la mañana se levanta,
tan cierto como que el me habla
y yo lo puedo oír. //

Lo puedes sentir en este mismo instante.
Lo puedes sentir en tu corazón.
Lo puedes probar
en ese problema que tienes.
Dios está aquí, si quieres lo puedes sentir.

// Dios está aquí.
Tan cierto como el aire que respiro,
tan cierto como la mañana se levanta,
tan cierto como que el me habla
y yo lo puedo oír. //

42. DIOS TRINO

En nombre del Padre,
en nombre del Hijo,
en nombre del Santo Espíritu,
estamos aquí.

En nombre del Padre,
en nombre del Hijo,
en nombre del Santo Espíritu,
estamos aquí.

Para alabar y agradecer,
bendecir y adorar,
estamos aquí, Señor
a disposición.

Para alabar y agradecer,
bendecir y adorar,
estamos aquí, Señor
Dios Trino de Amor.

43. DIVINA MISERICORDIA

Sin verte… Jesús confío en ti,
y siento… tu ser dentro de mí,

Los rayos de tu amor penetran en mi ser
y no puedo evitar postrarme a tus pies.
//Misericordia, Divina Misericordia,
la sangre y el agua brotada de ti
me dicen Jesús lo has hecho por mí
para yo tu reino siempre compartir//

Sediento… de paz llego hasta ti
y encuentro… por tu resurrección

La fuente de tu amor, la luz de tu mirar
infunden en mi ser, razón para vivir,
//Misericordia, Divina Misericordia,
la sangre y el agua brotada de ti
me dicen Jesús lo has hecho por mí
para yo tu reino siempre compartir//

Transformas… Jesús mi existir,
y entiendo, que aún vives en mí,

Tus pasos a seguir tu cruz a compartir,
tu nombre proclamar, tu reino alcanzar
//Misericordia, Divina Misericordia,
la sangre y el agua brotada de ti
me dicen Jesús lo has hecho por mí
para yo tu reino siempre compartir//

44. DIVINO NIÑO JESÚS
(Plegaria)

Coro
Oh Divino Niño, mi Dios y Señor,
//Tú serás el dueño de mi corazón.//

Niño amable de mi vida,
consuelo de los cristianos,
//la gracia que necesito
pongo en tus divinas manos.//

(Rezar el Padre Nuestro)

Coro
Tú que sabes mis pesares,
pues todos te los confío,
//da la paz a los turbados
y alivio al corazón mío.//

(Rezar el Ave María)

Coro
Y aunque tu amor no merezco,
no recurriré a Ti en vano,
//pues eres Hijo de Dios
y auxilio de los cristianos.//

(Rezar el Gloria)

(Rezar esta oración)

Acuérdate Niño Santo,
que jamás se oyó decir,
que alguno te haya implorado,
sin tu auxilio recibir.
Por eso con fe y confianza,
humilde y arrepentido,
lleno de amor y esperanza,
este favor yo te pido...
Coro

45. EL AMOR DE CRISTO NOS REÚNE

Coro
El amor de Cristo nos reúne
en banquete fraternal;
con la luz de nuestra fe en el alma,
//acudamos juntos al altar.//

A los hombres del desierto,
milagroso pan les dio,
en figura del misterio
//que en la cena consumó.//

Coro

Al que come de mi carne,
al que beba de mi sangre,
le daré la vida eterna
//en el Reino de mi Padre.//

Coro

Lo que acabo yo de hacer
lo debéis hacer vosotros
y guardad este recuerdo
//que es eterno testamento.//

Coro

El Señor resucitado
vuelve a la gloria del Cielo,
pero vive con su Iglesia
//en el Santo Sacramento.//

46. EL AMOR ES NUESTRO CANTO

El amor es la palabra limpia que hace vivir.
Es el fruto de la tierra buena y es sufrir.
Es decirle al hermano pobre sólo no estás.
No dejes que pase tu tiempo sin más.

**//El amor es nuestro canto a la vida que se da
y que espera un amanecer en la verdad. //**

El amor es el regalo eterno que nos da Dios.
Es tener el corazón abierto y es perdón.
Es la fe y la esperanza cierta del más allá.
No dejes que pase tu tiempo sin más.

**//El amor es nuestro canto a la vida que se da
y que espera un amanecer en la verdad. //**

El amor es el camino largo y sin final.
Es la luz que inunda sombras en la oscuridad.
Es la vida que nos brinda un tiempo de oportunidad.
No dejes que pase tu tiempo sin más.

**//El amor es nuestro canto a la vida que se da
y que espera un amanecer en la verdad. //**

47. EL BAUTISMO DE CRISTO EN EL JORDÁN

Vino de Galilea
a las aguas del Río Jordán
Se metió entre la gente
en pos del Bautismo de Juan
Al salir de las aguas
de repente el cielo se abrió
y el Espíritu Santo como paloma descendió
Y del cielo se oyó la voz del Padre que dijo:
Este es mi Hijo amado mi elegido.
Coro
Oh Jesús siervo elegido
que en las aguas del Jordán
El Espíritu te ha ungido
para tu misión de amar
Oh Jesús siervo elegido
que en las aguas del Jordán
Nos revelas el misterio
de la Santa Trinidad

Al bajar aquel río
nuestra historia tomaste en ti
Tú te hiciste pecado
para nosotros resurgir
Santificas el agua
donde nacen hijos de Dios
y el Espíritu Santo
nos hace ser nueva creación
Y a nosotros también la voz del Padre nos dice:
Este es mi hijo amado mi elegido
Coro
//Gloria al Padre de los cielos
Gloria al Hijo salvador
Gloria al Espíritu Santo
Gloria a Dios eterno amor.//

48. EL SEÑOR DIOS NOS AMÓ

El Señor Dios nos amó
como nadie amó jamás.
Él nos guía como estrella
cuando no existe la luz.
Él nos da todo su amor
mientras la fracción del pan
es el pan de amistad,
el pan de Dios.
Coro
Es mi Cuerpo, tomad y comed.
Es mi Sangre, tomad y bebed.
Pues Yo soy la Vida,
Yo soy el amor.
¡Oh! Señor condúcenos
hacia tu amor.

El Señor Dios nos amó
como nadie amó jamás.
Sus paisanos lo creían
hijo de un trabajador.
Como todos, Él también
ganó el pan con su sudor
y conoce la fatiga y el dolor.
Coro
El Señor Dios nos amó
como nadie amó jamás.
Él reúne a los hombres
y les da a vivir su amor.
Los cristianos todos ya
miembros de su Cuerpo son.
Nadie puede separarlos de su amor.
Coro

49. EL SEÑOR ESTÁ PRESENTE

El Señor está presente en su Santuario.
Vamos a alabarlo.
El Señor está presente entre su pueblo.
Vamos a alabarlo.
Alábenlo, alábenlo, alaben a su Señor.
Alábenlo, alábenlo, alaben a Jesús.

El Señor está presente en su Santuario.
Vamos a cantarle.
El Señor está presente entre su pueblo.
Vamos a cantarle.
Cántenle, cántenle, canten al Señor.
Cántenle, cántenle, canten a Jesús.

El Señor está presente en su Santuario.
Vamos a amarle.
El Señor está presente entre su pueblo.
Vamos a amarle.
Ámenle, ámenle, amen a su Señor.
Ámenle, ámenle, amen a Jesús.

El Señor está presente en su Santuario.
Vamos a servirle.
El Señor está presente entre su pueblo.
Vamos a servirle.
Sírvanle, sírvanle, sirvan a su Señor.
Sírvanle, sírvanle, sirvan a Jesús.

El Señor está presente en su Santuario.
Vamos a adorarle.
El Señor está presente entre su pueblo.
Vamos a adorarle.
Adórenle, adórenle, adoren a su Señor.
Adórenle, adórenle, adoren a Jesús.

50. ÉL VIVE EN MÍ

Él vive en mí, no temo el mañana.
Él vive en mí, gozoso estoy.
Yo sé que Él preparó mi futuro.
Mi vida vale más porque Él vive en mí.

Él vive en mí, no temo el mañana.
Él vive en mí, gozoso estoy.
Yo sé que Él preparó mi futuro.
Mi vida vale más porque Él vive en mí.

Él vive en mí, no temo el mañana.
Él vive en mí, gozoso estoy.
Yo sé que Él preparó mi futuro.
Mi vida vale más porque Él vive en mí.
Mi vida vale más porque Él vive en mí.
Mi vida vale más porque Él vive en mí.

51. EN SU MESA

El Señor nos ha reunido junto a Él
El Señor nos ha invitado a estar con Él
En su mesa llamó, la promesa del perdón
y en el vino y pan su corazón

En su mesa hay amor,
la promesa del perdón
y en el vino y pan su corazón.

Cuando Señor tu voz,
llegue en silencio a mí
y mis hermanos me hablan de ti
Sé que a mi lado estás
te sientas junto a mí
acoges mi vida y mi oración

El Señor nos ha reunido junto a Él
El Señor nos ha invitado a estar con Él
En su mesa llamó, la promesa del perdón
y en el vino y pan su corazón

En su mesa hay amor,
la promesa del perdón
y en el vino y pan su corazón.

53. ENTRA

Entra, la puerta está abierta
Aunque no soy digno,
te quisiera hablar

Entra, la puerta está abierta
Quiero que conmigo,
vengas a cenar

Entra Cristo Jesús en mi corazón
quiero que inundes todo con tu presencia
quiero sentir el amor que nunca tuve
porque no quiero ser igual
cuando amanezca

Entra, la puerta está abierta
Aunque no soy digno,
te quiero escuchar

Entra, la puerta está abierta
Quiero que conmigo,
vengas a cenar

//Entra Cristo Jesús en mi corazón
quiero que inundes todo con tu presencia
quiero sentir el amor que nunca tuve
porque no quiero ser igual//

//Cuando amanezca//

54. ENTRARÉ

Entraré, entraré, entraré
a su presencia
en libertad, por su amor
el Espíritu me lleva

Al trono de la gracia
para adorar cara a cara
sí al Dios vivo adorar, libre soy
libre soy para entrar

Entraré, entraré, entraré
a su presencia
en libertad, por su amor
el Espíritu me lleva

Al trono de la gracia
para adorar cara a cara
si al Dios vivo adorar, libre soy
libre soy para entrar

Entraré, entraré, entraré
a su presencia
en libertad, por su amor
el Espíritu me lleva

Al trono de la gracia
para adorar cara a cara
si al Dios vivo adorar, libre soy
libre soy para entrar

55. ENTRE TUS MANOS

Entre tus manos está mi vida Señor
Entre tus manos pongo mi existir.
Hay que morir para vivir.
Entre tus manos yo confío mi ser.

Si el grano de trigo no muere
si no muere solo quedará
pero si muere en abundancia dará
un fruto eterno que no morirá.

Entre tus manos está mi vida Señor
Entre tus manos pongo mi existir.
Hay que morir para vivir.
Entre tus manos yo confío mi ser.

Cuando diere por fruto una espiga
a los rayos de ardiente calor
tu reinado tendrá nueva vida de amor
en una Hostia de eterno esplendor.

Entre tus manos está mi vida Señor
Entre tus manos pongo mi existir.
Hay que morir para vivir.
Entre tus manos yo confío mi ser.

56. ERES TÚ, JESÚS

Coro

**Eres Tú, Jesús, eres Tú
Eres Tú en un trozo de pan
y en un poco de vino**

¡Qué alegría encontrarte, Jesús
en tu vino y en tu pan!
¡Oh, Señor, qué consuelo saber
que me amas!
Eres Tú la Palabra de Dios
la eterna Palabra de Dios
y has querido venir a morar en mi
pecho

Coro

Eres Tú, oh, principio y fin
manantial de la vida
Eres Tú, luz de luz
Dios de Dios verdadero
Eres Tú, ¡Oh, milagro de amor!
¡Oh, eterno milagro de amor!
Eres tú mi Señor y mi Dios mi
alimento

Coro

¡Cuánto amor al nacer en Belén
de María la Virgen!
Al andar los caminos
del hombre y llamarle tu amigo
Oh, Cordero de Dios, cuánto amor
¡Cuánto amor al morir en la cruz!
¡Cuánto amor al querer compartir
tu victoria!

Coro

Sólo en ti, oh, Señor de amor
que comprende y perdona
sólo en ti, oh, Jesús
hay amor verdadero
¡Oh, Jesús, quiero amar como Tú
quiero amar hasta el fin como Tú
Oh, Señor, dale vida a mi amor con
tu vida

Coro

57. ESPÍRITU DE DIOS

Espíritu de Dios llena mi vida, llena mi alma, llena mi ser (2)
Y lléname, lléname, lléname
de tu presencia, lléname, lléname
de tu poder lléname, lléname de tu bondad.

Si yo estoy con Dios, yo tengo vida,
yo tengo calma, yo tengo luz (2)
Y lléname, lléname, lléname
de tu saber, lléname, lléname
de tu temor lléname, lléname de tu amor.

Si Tú vives en mí yo tengo fuerzas,
yo tengo gozo, yo tengo amor (2)
Y lléname, lléname, lléname
de tu consejo, lléname, lléname
de fortaleza lléname, lléname de tu amor.

Si Tú estás en mí tengo consuelo,
tengo descanso, tengo la paz (2)
Y lléname, lléname, lléname
de inteligencia, lléname, lléname
de tu piedad lléname, lléname de tu amor.

Espíritu de Dios

58. ESPÍRITU SANTO VEN

Coro
Espíritu Santo ven,
ven y lléname de Ti.
Espíritu Santo ven
y llénanos de Ti.

Y abre mi corazón
de par en par
para que solo tu amor
pueda habitar
y en tu regazo descansar, Señor
y en tu regazo descansar, mi Dios

Coro

Y has que el poder de tu luz,
vuelva a brillar.
que me levante a vivir
la santidad
y de tu mano caminar, Señor.
y en tu regazo descansar, mi Dios.

Coro

Espíritu Santo ven,
ven y lléname de Ti.
Espíritu Santo ven, a mí.

59. ESPÍRITU SANTO VEN A MÍ

Espíritu Santo ven a mí
Espíritu Santo ven a mí
quiero vivir, quiero ser feliz
con tu poder dentro de mí
con tu poder dentro de mí

Ahora sé lo que es vivir
puedo reír, puedo cantar
Ahora sé que yo puedo amar
con tu poder dentro de mí

Espíritu Santo ven a mí
Espíritu Santo ven a mí
quiero vivir, quiero ser feliz
con tu poder dentro de mí
con tu poder dentro de mí

Hermano, quieres vivir
la gloria del Señor
Acepta pues esta bendición
que será tu salvación

Espíritu Santo ven a mí
Espíritu Santo ven a mí
quiero vivir, quiero ser feliz
con tu poder dentro de mí
con tu poder dentro de mí

60. ESTE SÍ ES EL PAN

Este sí es el Pan que bajó del Cielo (2)
para darnos vida, esperanza y consuelo (2)

Yo soy Pan de vida y vida daré (2)
al que me comiere con amor y fe (2)

Quien come mi Carne y bebe mi Sangre (2)
vivirá en el Cielo en gloria del Padre (2)

Mi Carne es comida, mi Sangre es bebida (2)
quien come este Pan tendrá eterna vida (2)

Quien coma mi Carne resucitará (2)
y al lado del Padre siempre vivirá (2)

En verdad os digo si no me coméis (2)
la vida en vosotros tener no podéis (2)

Tú eres, Señor fuente de agua viva (2)
que nos alimenta y nos fortifica (2)

61. ESTOY PENSANDO EN DIOS

Coro
//Estoy pensando en Dios
Estoy pensando en su amor//

Olvida al hombre a su Señor
y poco a poco se desvía
y entre angustia y cobardía
va perdiéndose el amor.
Dios le habla como amigo:
huye el hombre de su voz.
Coro

Yo siento angustia cuando veo
que después de dos mil años
y entre tantos desengaños
pocos vienen por amor.
Muchos hablan de esperanza
más se alejan del Señor.
Coro

Todo podría ser mejor
si mi pueblo procurase
caminar sin alejarse
del camino del Señor.
Pero el hombre no hace suyos
los senderos del amor.
Coro

Todo podría ir mejor
si en fervor y en alegría
fuesen las madres Marías
y los padres San José
y sus hijos imitasen
a Jesús de Nazaret.

62. FIESTA DEL BANQUETE

**//Fiesta del banquete, mesa del Señor
Pan de Eucaristía, Sangre de Redención//**

//Este Pan que nos das por manjar
es el Pan de humildad y de fraternidad//

**//Fiesta del banquete, mesa del Señor
Pan de Eucaristía, Sangre de Redención//**

//Hacia ti vamos hoy a tu altar
Tú nos das la ilusión en nuestro caminar//

**//Fiesta del banquete, mesa del Señor
Pan de Eucaristía, Sangre de Redención//**

//Escuché hoy tu voz en mi caminar
conocí al Señor en la fracción del Pan//

**//Fiesta del banquete, mesa del Señor
Pan de Eucaristía, Sangre de Redención//**

//Pan de Vida Eterna, Cuerpo del Señor
Cáliz de la Alianza, fuente de Salvación//

**//Fiesta del banquete, mesa del Señor
Pan de Eucaristía, Sangre de Redención//**

63. GLORIA A DIOS

No sé cómo alabarte ni qué decir Señor
confío en tu mirada que me abre el corazón
Toma mi pobre vida que sencilla ante Ti
quiere ser alabanza por lo que haces por mí

Gloria, Gloria a Dios, Gloria, Gloria a Dios
Gloria, Gloria a Dios, Gloria, Gloria a Dios

Siento en mí tu presencia. Soy como Tú me ves
bajas a mi miseria me llenas de tu paz
Indigno de tus dones más por tu gran amor
tu Espíritu me llena gracias te doy Señor.

Gloria, Gloria a Dios, Gloria, Gloria a Dios
Gloria, Gloria a Dios, Gloria, Gloria a Dios

Gracias por tu Palabra, gracias por el amor
gracias por nuestra Madre, gracias te doy Señor
Gracias por mis hermanos, gracias por el perdón
gracias porque nos quieres juntos en ti Señor.

Gloria, Gloria a Dios, Gloria, Gloria a Dios
Gloria, Gloria a Dios, Gloria, Gloria a Dios

64. GLORIA, GLORIA, ALELUYA

Coro
Gloria, gloria, aleluya,
gloria, gloria, aleluya.
Gloria, gloria, aleluya,
en nombre del Señor

Cuando sientas que tu hermano
necesita de tu amor
no le cierres las entrañas
ni el calor del corazón
busca pronto en tu recuerdo
la Palabra del Señor
Mi Ley es el amor
Coro
Cristo dijo que quien llore
su consuelo encontrará
Quien es pobre, quien es limpio
será libre y tendrá paz
Rompe pronto tus cadenas
eres libre de verdad
empieza a caminar
Coro
Si el camino se hace largo
si te cansas bajo el sol
si en tus campos no ha nacido
ni la más pequeña flor
mira siempre hacia adelante
y no abandones tu ilusión
Confía en el Señor
Coro
Caminemos siempre unidos
en la fe y en el amor
Anunciemos por doquiera
su mensaje salvador
Implantemos por el mundo
la justicia y el amor
en el nombre del Señor

65. GLORIFÍCATE

Padre te alabo, te adoro y te bendigo
Por tu nombre glorifícate
Glorifícate, glorifícate
por tu nombre, glorifícate

Jesús te alabo, te adoro y te bendigo
Por tu nombre glorifícate
Glorifícate, glorifícate
por tu nombre, glorifícate

Espíritu te alabo, te adoro y te bendigo.
Por tu nombre glorifícate
Glorifícate, glorifícate
por tu nombre, glorifícate

Trinidad te alabo, te adoro y te bendigo
Por tu nombre glorifícate
Glorifícate, glorifícate
por tu nombre, glorifícate

66. HÁBLAME

Yo siento Señor que tú me amas.
Yo siento Señor que te puedo amar.
Háblame Señor, que tu siervo escucha.
Háblame, ¿qué quieres de mí?

Señor, tú has sido grande para mí.
En el desierto de mi vida, háblame.
Yo quiero estar dispuesto a todo.
Toma mi ser, mi corazón es para ti.

Por eso canto tus maravillas,
por eso canto tu amor.
Te alabo Jesús por tu grandeza.
Mil gracias te doy por tu gran amor.
Heme aquí Señor, para acompañarte.
Heme aquí, ¿qué quieres de mí?

Señor, tú has sido grande para mí.
En el desierto de mi vida, háblame.
Yo quiero estar dispuesto a todo.
Toma mi ser, mi corazón es para ti.

67. HAY UNA UNCIÓN AQUÍ

//Hay una unción aquí
cayendo sobre mí
mudándome, cambiando mi ser//

//Mi espíritu y mi alma se están llenando
con el poder de tu Espíritu Santo.
Mi vida nunca más será igual//

//Hay una unción aquí
cayendo sobre mí
mudándome, cambiando mi ser//

//Mi espíritu y mi alma se están llenando
con el poder de tu Espíritu Santo.
Mi vida nunca más será igual//

//Hay una unción aquí
cayendo sobre mí
mudándome, cambiando mi ser//

//Mi espíritu y mi alma se están llenando
con el poder de tu Espíritu Santo.
Mi vida nunca más será igual//

///Mi vida nunca más será igual///

68. HAZME UN INSTRUMENTO DE TU PAZ

Hazme un instrumento de tu paz,
donde haya odio lleve yo tu amor,
donde haya injuria tu perdón Señor,
donde haya duda fe en Ti.

Hazme un instrumento de tu paz,
que lleve tu esperanza por doquier,
donde haya oscuridad lleve tu luz,
donde haya pena tu gozo Señor.

Maestro, ayúdame a nunca buscar
querer ser consolado como consolar,
ser entendido como entender,
ser amado como yo amar.

Hazme un instrumento de tu paz
es perdonando que nos das perdón,
es dando a todos que tú nos das,
muriendo es que volvemos a nacer.

Maestro, ayúdame a nunca buscar
querer ser consolado como consolar,
ser entendido como entender,
ser amado como yo amar.

Hazme un instrumento de tu paz

69. HE DECIDIDO SEGUIR A CRISTO

///He decidido seguir a Cristo///
No vuelvo atrás, no vuelvo atrás

///Si otros vuelven yo sigo a Cristo///
No vuelvo atrás, no vuelvo atrás

///Aunque me dejen yo sigo a Cristo///
No vuelvo atrás, no vuelvo atrás

///La cruz delante y el mundo atrás///
No vuelvo atrás, no vuelvo atrás

///La vida eterna Cristo me ha dado///
No vuelvo atrás, no vuelvo atrás

No vuelvo atrás, no vuelvo atrás

70. HIMNO DE LA ALEGRÍA

Escucha hermano
la canción de la alegría
el canto alegre
del que espera un nuevo día.

Ven canta, sueña cantando.
Vive soñando el nuevo sol
en que los hombres
volverán a ser hermanos.

Si en tu camino
solo existe la tristeza,
y el llanto amargo
de la soledad completa.

Ven canta, sueña cantando.
Vive soñando el nuevo sol
en que los hombres
volverán a ser hermanos.

Si es que no encuentras
alegría en esta tierra,
búscala hermano
más allá de las estrellas.

Ven canta, sueña cantando.
Vive soñando el nuevo sol
en que los hombres
volverán a ser hermanos.

71. HONOR Y GLORIA A ÉL

Cristo está aquí, en este lugar
en el Santísimo Sacramento del Altar
de rodillas adoramos
su presencia contemplamos
Sacramento admirable Jesús el Señor

Honor y Gloria a Él, majestuoso Salvador
Su presencia día y noche adoramos
Honor y Gloria a Él,
Jesucristo pan del Cielo
Hoy lo adoramos y glorificamos
en este lugar.

Cristo es el Pan bajado del Cielo
Él nos llena con su amor es nuestro consuelo
hoy reunidos veneramos
al Cordero inmolado
a Jesús el Redentor nuestro Señor

//Honor y Gloria a Él, majestuoso Salvador
Su presencia día y noche adoramos
Honor y Gloria a Él,
Jesucristo pan del Cielo
Hoy lo adoramos y glorificamos
en este lugar.//

Hoy lo adoramos y glorificamos
en este lugar.

72. HOSTIA VIVA CON CRISTO

CORO

**Quiero amarte Señor,
por los que no te aman
y adorarte presente aquí en este altar
Quiero estar a tu lado
por aquellos que se marchan
y tu amante corazón consolar**

Jesucristo, sacerdote, pan de vida
Te inmolaste y te entregas cada día
doy mi vida en oblación como Hostia viva
te la ofrezco por las manos de María

CORO

En la Hostia yo te miro anonadado
te bajaste hasta mi para elevarme
mi pecado perdonaste y tu Espíritu me has dado
que me guíe porque quieres transformarme

CORO

Silencioso y escondido siempre vives
y en lo oculto de mi vida estás actuando
sólo esperas que te mire y me mire
y que solamente en ti viva pensando

CORO

Quiero estar a tu lado
por aquellos que se marchan
y tu amante corazón consolar

73. HOY CANTAMOS A DIOS

Coro
//Hoy cantamos a Dios
nuestra unión, nuestra fe;
porque es la salvación,
la justicia y el bien.//

El dolor y el mal de la humanidad
son el llanto de nuestro corazón
la ilusión de hacer un mundo mejor
es la meta de toda nuestra unión

Coro

Dios nos habla hoy en cualquier lugar
a través de cada necesidad
pide un corazón lleno de valor
una fe de hierro, un gran amor

74. HOY PERDÓNAME

Hoy perdóname, hoy por siempre
sin mirar a la mentira
lo vacío de nuestras vidas
nuestra falta de amor y caridad

Hoy perdóname, hoy por siempre
aun sabiendo que he caído
que de ti siempre había huido
hoy regreso arrepentido,
vuelvo a ti, vuelvo a ti

Gracias quiero darte por amarme,
gracias quiero darte yo a ti, Señor
Hoy soy feliz porque te conocí,
gracias por amarme a mí también

Te conocí y te amé,
te pedí perdón y me escuchaste.
Si te ofendí, perdóname Señor,
pues te amo y no te olvidaré

Yo quiero ser, Señor amado
como el barro en manos del alfarero
Toma mi vida y hazla de nuevo
Yo quiero ser, yo quiero ser un vaso nuevo

75. HOY SEÑOR TE DAMOS GRACIAS

Coro

**Hoy Señor te damos gracias
por la vida, la tierra y el sol
Hoy Señor queremos cantar
las grandezas de tu amor**

Gracias Padre, mi vida es tu vida
tus manos amasan mi barro
mi alma es tu aliento divino
tu sonrisa en mis ojos está

Coro

Gracias Padre, tú guías mis pasos
tú eres la luz y el camino
conduces a ti mi destino
como llevas los ríos al mar

Coro

Gracias Padre, me hiciste a tu imagen
y quieres que siga tu ejemplo
brindado mi amor al hermano
construyendo un mundo de paz

76. ID Y ENSEÑAD

Sois la semilla que ha de crecer
sois la estrella que ha de brillar
sois levadura, sois grano de sal
antorcha que de alumbrar
Sois la mañana que vuelve a nacer
sois espiga que empieza a granar
sois aguijón y caricia a la vez
testigos que voy a enviar
Coro
Id amigos por el mundo anunciando el amor
Mensajeros de la vida, de la paz y el perdón
Sed amigos los testigos de mi resurrección
Id llevando mi presencia con vosotros estoy

Sois una llama que ha de encender
resplandores de fe y caridad
sois los pastores
que han de guiar al mundo
por sendas de paz
Sois los amigos que quise escoger
sois palabra que intento gritar
sois reino nuevo que empieza a engendrar
justicia, amor y verdad
Coro
Sois fuego y savia que viene a traer
sois la ola que agita la mar
la levadura pequeña de ayer
fermenta la masa del pan
Una ciudad no se puede esconder
ni los montes se han de ocultar
en vuestras obras que buscan el bien
los hombres al Padre verán
Coro

77. IGLESIA PEREGRINA

Todos unidos formando un solo cuerpo
un pueblo que en la Pascua nació
Miembros de Cristo en sangre redimidos
Iglesia peregrina de Dios

Vive en nosotros la fuerza del Espíritu
que el Hijo desde el Padre envió
Él nos impulsa, nos guía y alimenta
Iglesia peregrina de Dios

Somos en la tierra semilla de otro reino
somos testimonios de amor
Paz para las guerras y luz entre las sombras
Iglesia peregrina de Dios

Rugen tormentas y a veces nuestra barca
parece que ha perdido el timón
Miras con miedo, no tienes ya confianza
Iglesia peregrina de Dios

Una esperanza nos llena de alegría
presencia que el Señor prometió
Vamos cantando, Él viene con nosotros
Iglesia peregrina de Dios

Todos nacimos en un solo bautismo
en la misma comunión
Todos viviendo en una misma casa
Iglesia peregrina de Dios

Todos prendidos en una misma suerte
ligados a la misma salvación
Somos un cuerpo y Cristo es la cabeza
Iglesia peregrina de Dios

78. INCOMPARABLE

//Es un deleite para mí
al recibirte en comunión
y saborear tu corazón
tu cuerpo y sangre mi Jesús//

//Incomparable es tu amor por mi Jesús
Incomparable es tu gran amor Señor
que no puedo comprender
que siendo Tú el Rey
te hayas quedado en este humilde pan//

Te hayas quedado en este humilde pan

79. JERUSALÉN

Jerusalén, ¡qué bonita eres!
calles de oro, mar de cristal.

Jerusalén, ¡qué bonita eres!
calles de oro, mar de cristal.

Por esas calles vamos a caminar
calles de oro, mar de cristal.

Por esas calles vamos a caminar
calles de oro, mar de cristal.

//En el Cielo todos cantan ¡Aleluya!
Yo también quiero cantar///

//Aleluya, yo también quiero cantar//

80. JESÚS DE GALILEA

CORO
Jesús de Galilea que pasando vas
Jesús de Galilea que pasando vas
Jesús de Galilea que pasando vas
Jesús de Galilea que pasando vas

Yo quiero que me mires
Yo quiero que me mires
Yo quiero que me mires
y mi vida cambiará (2)
CORO
Yo quiero que me ames
Yo quiero que me ames
Yo quiero que me ames
y mi vida cambiará (2)
CORO
Yo quiero me perdones
Yo quiero me perdones
Yo quiero me perdones
y mi vida cambiará (2)
CORO
Yo quiero que me sanes
Yo quiero que me sanes
Yo quiero que me sanes
y mi vida cambiará (2)
CORO
Yo quiero que me salves
Yo quiero que me salves
Yo quiero que me salves
y mi vida cambiará (2)
CORO
Yo quiero que me llenes
Yo quiero que me llenes
Yo quiero que me llenes
y mi vida cambiará (2)
CORO

81. JESÚS EN VOS CONFÍO

Coro
//Jesús en vos confío,
Jesús en vos confío
Divina Misericordia
en vos confío, en vos confío//

En tu divina presencia,
Jesús misericordioso
venimos todos tus hijos
confiados en tu grandeza
Aurora resplandeciente,
rayo de amor infinito
bendice hoy a tu pueblo
Rey de la Gloria, Dios de bondad
con llamas de luz eterna
consuela mi alma que sedienta está

Coro

Divina Misericordia,
hermosa hoy resplandeces
el corazón santo y puro
de Jesús quien nos protege
Torrente de gracia plena
desciende a mí sin tardar
bendice a las familias
Rey de la Gloria, Dios de bondad
con llamas de luz eterna
consuela mi alma que sedienta está

Coro

82. JESÚS ESTÁ EN SU TEMPLO

Jesús está en su templo, alábalo que Él vive
Jesús está en su templo, alábalo que Él vive
Alábalo, alábalo, alábalo que Él vive (2)

Jesús es el Señor, alábalo que Él vive
Jesús es el Señor, alábalo que Él vive
Alábalo, alábalo, alábalo que Él vive (2)

Jesús es el Mesías, alábalo que Él vive
Jesús es el Mesías, alábalo que Él vive
Alábalo, alábalo, alábalo que Él vive (2)

Jesús es nuestro Rey, alábalo que Él vive
Jesús es nuestro Rey, alábalo que Él vive
Alábalo, alábalo, alábalo que Él vive (2)

Él sana los enfermos, alábalo que Él vive
Él sana los enfermos, alábalo que Él vive
Alábalo, alábalo, alábalo que Él vive (2)

83. JUNTOS CANTANDO LA ALEGRÍA

Juntos cantando la alegría
de vernos unidos en la fe y en el amor.
Juntos sintiendo en nuestras vidas
la alegre presencia del Señor.

Somos la Iglesia peregrina que Él fundó.
Somos un pueblo que camina sin cesar.
Entre cansancios y esperanzas hacia Dios,
nuestro amigo Jesús nos llevará.

Hay una fe que nos alumbra con su luz.
Una esperanza que empapó nuestro esperar.
Aunque la noche nos envuelva en su inquietud,
nuestro amigo Jesús nos guiará.

Es el Señor… nos acompaña al caminar.
Con su ternura a nuestro lado siempre va.
Si los peligros nos acechan por doquier,
nuestro amigo Jesús nos salvará.

84. JUNTOS NOS ACERCAMOS

Juntos nos acercamos
a esta mesa para ofrecer
todo lo que tenemos es para ti

Es nuestra vida, nuestra esperanza,
nuestro dolor y amor,
deja que nuestras manos lleguen a ti

El pan que es tierra, fruto y trabajo
Tu cuerpo ya será
dánoslo y nuestra vida renacerá
El vino convertido en tu Sangre
dánoslo a beber
y se hará fecundo nuestro dolor

Como el pan y el vino
que se transforman en este altar,
transforma nuestras vidas y nuestro hogar

El pan que es tierra, fruto y trabajo
Tu cuerpo ya será
dánoslo y nuestra vida renacerá
El vino convertido en tu Sangre
dánoslo a beber
y se hará fecundo nuestro dolor

Juntos nos acercamos
a esta mesa para ofrecer
todo lo que tenemos es para ti

85. LA FAMILIA ES UNA INSTITUCIÓN

La familia es una institución
donde el individuo toma formación
y si no formamos un mejor hogar
marchar bien no puede nuestra sociedad

Coro
Donde existe el amor
gente unida hallarás.
//Familias de mi Puerto Rico
únanse en el amor de Dios//

La delincuencia no podrá parar
con diversiones ni comodidad
en el exterior nada encontrarán
ya que ese problema surge del hogar

La pobreza no es una razón
para en la familia haber desunión
sí unen sus esfuerzos en pro del hogar
ya verán muy pronto podrán progresar

La pureza, amor y el desinterés
de una familia base fuerte es
y si entre sus miembros hay honestidad
ya segura tiene la felicidad

86. LA LLAMADA

Si escuchas la voz del viento
llamando sin cesar
Si escuchas la voz del tiempo
mandándote esperar

La decisión es tuya
La decisión es tuya
Son muchos los invitados
Son muchos los invitados
Pocos los decididos
Pocos los decididos

Si escuchas la voz de Dios
llamando sin cesar
Si escuchas la voz del mundo
queriéndote engañar

La decisión es tuya
La decisión es tuya
Son muchos los invitados
Son muchos los invitados
Pocos los decididos
Pocos los decididos

El trigo ya se perdió
creció de nada sirvió
y el mundo pasando hambre
pasando hambre de Dios

La decisión es tuya
La decisión es tuya
Son muchos los invitados
Son muchos los invitados
Pocos los decididos
Pocos los decididos

87. LÁVAME CON TU SANGRE

Lávame con tu sangre
Sana mis heridas, vuelve
Escucha mi voz y háblame

Renovar quiero mi entrega
Sentir ese amor primero
decirte que te quiero
y conversar, escúchame

Sentir de nuevo un viento cálido
Verme en tus brazos sonreír
Entregarte todos mis problemas
Volver a ser feliz

88. LE LLAMAN JESÚS

Hay un hombre que está solo
Tiene triste la mirada
Con sus manos lastimadas
que no dejan de sangrar

Él sembró todas las flores
Tiene muchos familiares
Tiene tierras, tiene mares
pero vive en soledad

**Le llaman Jesús
Le llaman Jesús
Le llaman Jesús
Le llaman Jesús
la, la, la, la, la…**

Cada vez está más sólo
Sus hermanos lo olvidaron
Sin querer lo lastimaron
y hoy se muere de dolor

Ya cumplió más de mil años
y parece siempre un niño
al que dio tanto cariño
hoy le niegan el amor

**Le llaman Jesús
Le llaman Jesús
Le llaman Jesús
Le llaman Jesús
la, la, la, la, la…**

89. LEVÁNTATE A COMER EL PAN

Si pones los pies sobre la roca
y quieres nacer a un mundo nuevo
Si quieres ser libre de ti mismo
acércate más, acércate más, acércate más y cenaremos

Levántate a comer el Pan, si buscas la vida verdadera
Levántate a comer el Pan, si quieres seguir por mi camino
Levántate a comer el Pan, siguieres ser sal y luz del mundo
Levántate a comer el Pan. Acércate a mi mesa buen amigo.

Si quieres negarte a ti mismo
Si quieres tomar tú mis redes
Si aceptas ser el perseguido
Si cargas mi cruz, si cargas mi cruz, si cargas mi cruz y no le temes

Levántate a comer el Pan, si buscas la vida verdadera
Levántate a comer el Pan, si quieres seguir por mi camino
Levántate a comer el Pan, siguieres ser sal y luz del mundo
Levántate a comer el Pan. Acércate a mi mesa buen amigo.

Si quieres vivir eternamente
Si quieres partir el Pan conmigo
Si buscas mi gloria humildemente
Si crees en mí, si crees en mí, si crees en mí como el ungido

Levántate a comer el Pan, si buscas la vida verdadera
Levántate a comer el Pan, si quieres seguir por mi camino
Levántate a comer el Pan, siguieres ser sal y luz del mundo
Levántate a comer el Pan. Acércate a mi mesa buen amigo.

90. MANOS ABIERTAS

Coro
Qué suerte es tener
un corazón sin puertas
Qué suerte es tener
las manos siempre abiertas

Manos abiertas
para estrechar las de un amigo
Manos abiertas
para ayudar en el camino

Coro

Manos abiertas
para buscar un mundo nuevo
Manos abiertas
para un hacer, no para un sueño

Coro

Manos abiertas
las de Jesús, las del Maestro
Manos abiertas
las del que supo amar primero

Coro

Manos abiertas
llenas de amor, las de María
Manos abiertas
son nuestra luz y nuestra guía

91. MARANATHA, VEN ESPÍRITU DE DIOS

Ven Espíritu de Dios
Inúndame de amor
Ayúdame a seguir

Ven y dame tu calor
Quema mi corazón
Enséñame a servir

Ven Espíritu de Dios
Ven a mi ser
Ven a mi vida
Ven Espíritu de amor
Ven a morar, Maranatha

Hoy la vida que me das
te invoca en mi dolor
y clama a ti, Señor

Ven y cambia mi existir
Transforma mi penar
en glorias hacia ti

Ven Espíritu de Dios
Ven a mi ser
Ven a mi vida
Ven Espíritu de amor
Ven a morar, Maranatha

92. ME TOCASTE JESÚS

Me tocaste Jesús
y cerré la puerta
Me hablaste Jesús
con el Pan y el Vino
y así con tu sombra detrás
que todo alumbró
tu rostro sereno

Con un trozo de ayer
yo te esperé en mi puerta
Con un montón de papel
que jamás se puedo leer
y casi sin mirar
me alejé Jesús
sentí tu llamada

Coro
Me sonrió dulce
y me miró fijo
Yo soy tu amigo, me dijo
Le sonreí luego
y lo sentí cerca
Tienes un nuevo amigo

Hoy he vuelto al lugar
donde hay amor sincero
No me quiero alejar
Por favor escucha Jesús
donde hay vida Tú estarás
Quiero ser de ti
Tu hermano amigo

Coro

93. ME VOY A LA MONTAÑA

Me voy a la montaña buscándole
Él me hace tanto bien, si el mundo lo supiera
y si superan también que
Él entregó su ser para que nadie muera

Me voy a la montaña buscando paz.
Estoy tranquilo allí rodeado por el viento
y una figura empiezo a ver
se me hace familiar, es el Maestro

Hay que volver a conversar con Él
Oír su voz, tocar sus manos
//Ese buen Jesús que murió en la cruz
sigue iluminando con su luz//
(la, la, la, la, la) (una vez)

Un día en la montaña le pregunté
Señor en mi lugar, ¿dime qué harías?
Me dijo: Juan si miras bien
comer sólo mi pan, te convendría

En una de esas veces lo vi llorar
por esa multitud de gente que no escucha
Tienen de piedra el corazón,
se visten de bondad, mas su maldad es mucha.

Hay que volver a conversar con Él
Oír su voz, tocar sus manos
//Ese buen Jesús que murió en la cruz
sigue iluminando con su luz//
(la, la, la, la, la) (dos veces)

94. MI ALMA ALABA AL SEÑOR

Mi alma alaba al Señor
y mi espíritu se alegra en su presencia
porque Él, que es grande
maravillas ha hecho en mí.
Es santo su nombre

Mi alma alaba al Señor
Mi alma alaba al Señor
y mi espíritu se alegra en su presencia
porque Él, que es grande
maravillas ha hecho en mí.
Es santo su nombre

95. MI AMIGO JESÚS

Quiero cantar una linda canción
de un hombre que me transformó.
Quiero cantar una linda canción
de aquel que mi vida cambió.

Es mi Amigo Jesús,
es mi Amigo más fiel.
Él es Dios, Él es Rey.
Es Amor y Verdad.

Sólo en Él encontré
el amor que busqué.
Sólo en Él encontré
la felicidad.

Quiero decirte que Él me cambió
y que ya mi vacío llenó.
Déjame hablarte del Dios Creador
que un día a su Hijo nos dio.

96. MI DIOS ESTÁ VIVO

///Mi Dios está vivo.
Él no está muerto.///
Lo siento en mis manos.
Lo siento en mis pies.
Lo siento en mi alma,
lo siento en todo mi ser.

Oh, oh, oh, oh
hay que nacer del agua.
Oh, oh, oh, oh
hay que nacer del Espíritu de Dios
//Oh, oh, oh, oh
hay que nacer del agua y del Espíritu de Dios,
hay que nacer del Señor//

Prepárate para que sientas,
prepárate para que sientas,
prepárate para que sientas,
el Espíritu de Dios.

Déjalo que se mueva,
déjalo que se mueva,
déjalo que se mueva
dentro de tu corazón.

97. MI SEÑOR, ALABADO SEAS MI SEÑOR

//Alabado seas mi Señor//
El sol y las estrellas
proclaman tu grandeza.
//Las flores y la luna
nos cantan tu poder//.

Coro
//Alabado seas mi Señor//
Cantando el universo
te ofrece su hermosura
//pues toda criatura
es cántico de amor//

//Alabado seas mi Señor//
Los pájaros y el bosque,
los árboles y el viento,
//los ríos y los mares
nos cantan tu poder//

.

Coro

//Alabado seas mi Señor//
Por todos los hermanos
que acogen y perdonan,
//por todos los que rezan
en su tribulación//

Coro

98. MILAGRO DE AMOR

Jesús aquí presente en forma real.
Te pido un poco más de fe y de humildad.
Quisiera poder ser digno de compartir
contigo el milagro más grande de amor.

Milagro de amor tan infinito
en que Tú mi Dios te has hecho
tan pequeño y tan humilde, para entrar en mí.
Milagro de amor tan infinito
en que Tú mi Dios te olvidas de tu Gloria
y de tu majestad por mí.

Y hoy vengo lleno de alegría
a recibirte en esta Eucaristía.
Te doy gracias por llamarme a esta Cena
porque, aunque no soy digno
visitas tú mi alma.

Milagro de amor tan infinito
en que Tú mi Dios te has hecho
tan pequeño y tan humilde, para entrar en mí.
Milagro de amor tan infinito
en que Tú mi Dios te olvidas de tu Gloria
y de tu majestad por mí.

Gracias Señor por esta comunión.

99. MÍRAME SEÑOR

Mírame Señor, no soy digno de que entres en mi casa.
Háblame Señor, tu palabra bastará para sanarme.
Sáname Señor, tú conoces cuántas luchas en mis límites.
Quiero dar a luz. El misterio que descansa en mi interior.

De tu cuerpo brota sangre y agua viva.
Vas cayendo suavemente en mi interior.
Te recibo con asombro y me conmuevo, Cristo vivo.
Dios está presente en mi pobre corazón.

Mírame Señor, yo no sé confiar en medio de tormentas.
Llámame Señor, tú me alientas y camino sin temor.
Cuídame Señor, nadie más sostiene mi vida entregada.
Te suplico Dios, serte fiel hasta la cruz y cruz de amor.

De tu cuerpo brota sangre y agua viva.
Vas cayendo suavemente en mi interior.
Te recibo con asombro y me conmuevo, Cristo vivo.
Dios está presente en mi pobre corazón.

Te amaré Señor aunque tenga que olvidarme de mí mismo.
Tomaré mi cruz, seguiré tus pasos sin mirar atrás.
Sonreiré Señor aunque todo fracasara y quede solo,
y si estoy muy mal, tu palabra ardiente me liberará.

Lavaré Señor mis vestidos en tu sangre de Cordero.
Cantaré Señor y tu fuego abrazará mi corazón.
Me aliviarás Señor con el paso de tu cuerpo en mis entrañas.
Te bendeciré contemplando el crecimiento que anidé.

De tu cuerpo brota sangre y agua viva.
Vas cayendo suavemente en mi interior.
Te recibo con asombro y me conmuevo, Cristo vivo.
Dios está presente en mi pobre corazón.

100. MUÉVETE EN MÍ

//El Espíritu de Dios está,
en este lugar.
El Espíritu de Dios se mueve
en este lugar.

Está aquí para consolar.
Está aquí para liberar.
Está aquí para guiar
el Espíritu de Dios está aquí.//

//Muévete en mí
muévete en mí.
Toca mi mente, mi corazón.
Llena mi vida de tu amor.
Muévete en mi Dios Espíritu,
muévete en mí.//

101. NADIE HAY TAN GRANDE COMO TÚ

Coro
// Nadie hay tan grande como Tú,
nadie hay, nadie hay //
// ¿Quién habrá que haga maravillas
como las que haces tú? //

// No con la fuerza, ni la violencia,
es como el mundo cambiará //
// Sólo el amor lo cambiará,
sólo el amor nos salvará//

Coro

// No con las armas, ni con la guerra,
es como el mundo cambiará //
// Sólo el amor lo cambiará,
sólo el amor nos salvará / /

Coro

// No con los pactos, ni los discursos,
es como el mundo cambiará //
// Sólo el amor lo cambiará,
sólo el amor nos salvará //

102. NADIE HAY COMO MI DIOS

No hay nadie como mi Dios, no hay nadie.
No hay nadie como mi Dios, no hay nadie.

Yo le amo, Él me ama.
Yo le pido, Él me da.
Yo le llamo, Él me responde.
Contesta mis peticiones.

No hay nadie como mi Dios, no hay nadie.
No hay nadie como mi Dios, no hay nadie.

Yo le amo, Él me ama.
Yo le pido, Él me da.
Yo le llamo, Él me responde.
Contesta mis peticiones.

No hay nadie como mi Dios, no hay nadie.

103. NO PODEMOS CAMINAR

Coro
No podemos caminar
con hambre bajo el sol.
Danos siempre el mismo Pan,
tu Cuerpo y Sangre Señor.

Comamos todos de este Pan.
El Pan de la unidad.
En un cuerpo nos unió el Señor
por medio del amor.

Coro

Señor, yo tengo sed de Ti.
Sediento estoy de Dios
pero pronto llegaré a ver
el rostro del Señor.

Coro

Por el desierto el pueblo va
cantando su dolor.
En la noche brillará tu luz,
nos guía la verdad.

Coro

104. NOS HAS LLAMADO AL DESIERTO

Coro
Nos has llamado al desierto, Señor de la libertad,
y está el corazón abierto a la luz de tu verdad.
Subimos con esperanza la escalada cuaresmal.
El pueblo de Dios avanza hasta la cumbre pascual.

Tu pueblo Señor camina
desde la aurora el ocaso
a tu Pascua se encamina
y te sigue paso a paso.

Coro

Señor te reconocemos
y tu Palabra escuchamos.
Tus caminos seguiremos
y tu ley de amor cantamos.

Coro

Se acerca Señor tu día
en el que todo florece
con su luz y su alegría
ya el camino resplandece.

105. OFRENDA DE AMOR

Al mezclar el vino que es
tu sangre con el agua
somos parte en tu divinidad
Oh Dios, bendito.

Te ofrecemos hoy el vino y pan
que es el trabajo de los hombres
los transformas en tu cuerpo y sangre.

Recíbelos Señor
como ofrenda de amor.

Danos tu bendición.
Sé nuestro gran Pastor.
Tu luz y verdad nos guiarán.
Hoy queremos rendir
nuestro corazón a Ti.
Bendito por siempre seas, Señor.

Recíbelos Señor
como ofrenda de amor.

Danos tu bendición.
Sé nuestro gran Pastor.
Tu luz y verdad nos guiarán.
Hoy queremos rendir
nuestro corazón a Ti.
Bendito por siempre seas, Señor.

//Bendito por siempre seas, Señor//

106. OH DEJA QUE EL SEÑOR TE ENVUELVA

Oh deja que el Señor te envuelva
en su Espíritu de amor.
Satisfaga hoy tu alma y corazón.
Entrégale lo que te impide
y su Espíritu vendrá,
sobre ti vida nueva te dará.

Cristo, oh, oh Cristo ven y llénanos...
Cristo, oh, oh Cristo llénanos de ti.

Alzamos nuestra voz con gozo.
Nuestra alabanza a ti.
Con dulzura te entregamos nuestro ser.
Entrega toda tu tristeza
en el nombre de Jesús
y abundante vida hoy tendrás en Él.

Cristo, oh, oh Cristo ven y llénanos...
Cristo, oh, oh Cristo llénanos de ti.

107. OH DIVINO NIÑO

//Oh Divino Niño, mi Dios y Señor.
Tú serás el dueño de mi corazón//

Mira qué lindo, qué lindo, qué lindo es el Señor
Mira qué lindo, qué lindo, qué lindo es el Señor
Mira qué lindo, qué lindo, qué lindo es el Señor
Mira qué lindo, qué lindo, qué lindo es el Señor

Nada iguala su belleza. Nada iguala su valor,
que todo lo que hace lo hace con amor.

Nada iguala su belleza. Nada iguala su valor,
que todo lo hace lo hace con amor.

// Oh Divino Niño, mi Dios y Señor.
Tú serás el dueño de mi corazón//

Mira qué bello, qué bello, qué bello es el Señor
Mira qué bello, qué bello, qué bello es el Señor
Mira qué bello, qué bello, qué bello es el Señor
Mira qué bello, qué bello, qué bello es el Señor

Nada iguala su belleza. Nada iguala su valor,
que todo lo hace lo hace con amor.

Nada iguala su belleza. Nada iguala su valor,
que todo lo que hace lo hace con amor.

108. ORACIÓN DE LA FAMILIA

Que ninguna familia comience en cualquier de repente.
Que ninguna familia se acabe por falta de amor.
La pareja sea el uno y el otro de cuerpo y de mente
y que nada en el mundo separe un hogar soñador.

Que ninguna familia se albergue debajo del puente
y que nadie interfiera en la vida y en la paz de los dos.
Que nadie los haga vivir sin ningún horizonte
y que puedan vivir sin temer lo que venga después.

La familia comience sabiendo por qué y dónde va
y que el hombre retrate la gracia de ser un papá.
La mujer sea cielo y ternura, afecto y calor
y los hijos conozcan la fuerza que tiene el amor.

//Bendecid oh Señor las familias amén.
Bendecid oh Señor la mía también//

Que marido y mujer tengan fuerza de amar sin medida
y que nadie se vaya a dormir sin buscar el perdón.
Que en la cuna los niños aprendan el don de la vida,
la familia celebre el milagro del beso y del pan.

Que marido y mujer de rodillas contemplen sus hijos
y que por ellos encuentren la fuerza de continuar,
y que en su firmamento la estrella que tenga más brillo
pueda ser la esperanza de paz de certeza de amar.

La familia comience sabiendo por qué y dónde va
y que el hombre retrate la gracia de ser un papá.
La mujer sea cielo y ternura, afecto y calor
y los hijos conozcan la fuerza que tiene el amor.

109. OYE JESÚS

Oye Jesús a este pueblo que necesita de ti.

Oye Jesús a este pueblo pecador que necesita tu

salvación, perdón, tu amor, esperanza y fe...

Escúchalo Señor.

Ten piedad Jesús somos pecadores.

Necesitamos tu misericordia, ten piedad, ten piedad.

Ten piedad Jesús somos pecadores.

Necesitamos tu misericordia, ten piedad, ten piedad.

110. PALOMA BLANCA

Hay una paloma blanca que está volando en este lugar.
Es el Espíritu Santo que está buscando dónde posar.
Hay una paloma blanca que está volando en este lugar.
Es el Espíritu Santo que está buscando dónde posar.

Bienvenida seas. Bienvenida seas.
Bienvenida seas paloma blanca de Yahvé
Bienvenida seas. Bienvenida seas.
Bienvenida seas paloma blanca de Yahvé

Hay una paloma blanca que está volando en este lugar.
Es el Espíritu Santo que está buscando dónde posar.
Hay una paloma blanca que está volando en este lugar.
Es el Espíritu Santo que está buscando dónde posar.

En tu corazón. En tu corazón.
En tu corazón ella quiere ir a morar.
En tu corazón. En tu corazón.
En tu corazón ella quiere ir a morar.

111. PAN DEL CIELO

Coro
Alimento para el camino
que nos viene del amor divino.
Pan vivo bajado del cielo
que nos da paz y consuelo.

Yo soy el pan
que trae la vida eterna.
El que vive en mí ya no tendrá
hambre ni sed

Coro

Yo soy el Dios
que sana tus heridas.
El que viene a mí le aliviaré
pena y dolor

Coro

Vengo a invitar
al pobre y marginado
a participar en el banquete
de salvación.

Alimento para el camino
que nos viene del amor divino.
Pan vivo bajado del cielo
que nos da paz y consuelo.

Pan vivo bajado del cielo
que nos da paz y consuelo.

112. PAN Y VINO

Ya no eres pan y vino
ahora que eres cuerpo y sangre, vives en mí
y de rodillas yo caigo al contemplar tu bondad
¡cómo no te voy a adorar!

Mientras te pierdes en mis labios,
tu gracia va inundando todo mi corazón
por esa paz que me llena de alegría mi ser
¡cómo no te voy a adorar!

Señor Jesús, mi Salvador
Amor eterno, amor divino
//Ya no falta nada. Lo tengo todo. Te tengo a ti//

Dueño y Rey del universo
cómo puede ser posible que busques mi amor
Tú tan grande y yo pequeño y te fijas en mí
¡cómo no te voy a adorar!

De rodillas yo te pido
que el día cuando tú me llames sea como hoy
para mirarte a los ojos y poderte decir
¡cómo no te voy a adorar!

Señor Jesús, mi Salvador
Amor eterno, amor divino
//Ya no falta nada. Lo tengo todo. Te tengo a ti//

Te tengo a ti

113. PERDÓNAME, OH SEÑOR JESÚS

Haz que abandone la alforja que hasta ahora he llevado.
Haz que rechace el vestido que traje hasta aquí.
Haz que me quede desnudo ante tu presencia.
Haz que abandone mi vieja razón de vivir.

Perdóname, oh Señor Jesús
Perdóname, oh Señor Jesús
Perdóname, oh Señor Jesús
Perdóname, oh Señor Jesús

Dame valor en la lucha que tengo conmigo
y haz que comprenda que solo un rival tengo yo.
Ese rival es mi orgullo que llevo en mi adentro.
Cuando me venza a mi mismo, seré ya de Dios.

Perdóname, oh Señor Jesús
Perdóname, oh Señor Jesús
Perdóname, oh Señor Jesús
Perdóname, oh Señor Jesús

114. PERDÓN JESÚS PERDÓN

//Perdón Jesús, perdón
Perdóname Señor
Pues sé que débil fui
Te herí, te lastimé
Perdóname Señor//

//Más hoy en tu misericordia quiero descansar
Sé que tu sangre me puede limpiar
Con arrepentimiento en mi corazón
Me humillo y te pido perdón//

//Me humillo y te pido perdón//

115. PERDÓN SEÑOR

Señor, ilumina mi vida.
Señor, muéstrame el camino
que yo espero en ti
y yo no quiero seguir un día más sin ti.

Señor, nuevamente he venido.
Como ves, vuelvo arrepentido.
Ya ves, volví a fallar.
Se resiente mi ser y me ahoga este llorar

Quisiera que abrieras mi corazón en dos
y lo llenes de amor.

Señor, lléname de esperanza
y has crecer en mí la confianza.
Sentir que Tú estás aquí
tan cerca de mí, y que puedo ser feliz.

Quisiera que abrieras mi corazón en dos
y lo llenes de amor

Señor, ilumina mi vida.
Señor, muéstrame el camino
Sentir que Tú estás aquí
tan dentro de mí, y que puedo ser feliz.

116. PESCADOR

Pescador, que al pasar por la orilla del lago,
me viste sacando mis redes al sol.
Tu mirar se cruzó con mis ojos cansados
y entraste en mi vida buscando mi amor.

Coro
Pescador, en mis manos has puesto otras redes
que pueden ganarte la pesca mejor
y al llevarme contigo en la barca,
me nombraste, Señor, pescador.

Coro

Pescador, entre tantos que había en la playa,
tus ojos me vieron. Tu boca me habló,
y a pesar de sentirse mi cuerpo cansado,
mis pies en la arena siguieron tu voz.

Coro

Pescador, manejando mis artes de pesca,
en otras riveras mi vida quedó
al querer que por todos los mares del mundo,
trabajen mis fuerzas por ti, pescador.

Coro

Pescador, mi trabajo de toda la noche,
mi dura faena hoy nada encontró.
Pero tú que conoces los mares profundos
compensa si quieres mi triste labor.

Coro

117. PESCADOR DE HOMBRES

Tú has venido a la orilla.
No has buscado ni a sabios ni a ricos.
Tan sólo quieres que yo te siga.

Coro
Señor, me has mirado a los ojos.
Sonriendo has dicho mi nombre.
En la arena he dejado mi barca.
Junto a ti buscaré otro mar.

Coro

Tú sabes bien lo que tengo.
En mi barca no hay oro ni espada.
Tan sólo redes y mi trabajo.

Coro

Tú necesitas mis manos.
Mi cansancio que a otros descanse,
amor que quiera seguir amando.

Coro

Tú pescador de otros lagos.
Ansia eterna de almas que esperan,
amigo bueno que así me llamas.

Coro

118. POPURRÍ DEL ESPÍRITU DE DIOS

//Al principio el Espíritu de Dios
se movía sobre las aguas//

//Pero ahora se está moviendo
dentro de mi corazón//

Se mueve en mí, se mueve en mí,
se mueve aquí, el Espíritu de Dios.

//Mi alma te alaba, mi alma te alaba,
mi alma te alaba porque sé que estás aquí//

//Pasa por aquí Señor, pasa por aquí//
//Oh Señor pasa por aquí//

//Pasa por aquí Señor, pasa por aquí//
//Oh Señor pasa por aquí//

//Espíritu Santo lléname de ti//
//Oh Señor lléname de ti//

//Espíritu Santo lléname de ti//
//Oh Señor lléname de ti//

119. POR LA VIDA

Hoy yo canto por la vida de aquellos que esperan
un milagro creativo
de esperanza y alegría
con la fe y la confianza
puesta en Dios

Canto por la vida
dando gracias por aquellos
que se unen y caminan
confiando que hay un todopoderoso que nos ama
y nos desea lo mejor

Dios siempre tiene el control.
Espera, confía y descansa en Él.
Todo, todo obra para bien
a los que le aman.

Que nada te detenga
ni apague hoy tu luz.
Sé fuerte en la batalla.
Contigo va el Señor

Dios siempre tiene el control.
Espera, confía y descansa en Él.
Todo, todo obra para bien
a los que le aman.

Hoy yo canto por la vida

120. POR LOS NIÑOS QUE EMPIEZAN LA VIDA

Por los niños que empiezan la vida;
por los hombres sin techo ni hogar;
por los pueblos que sufren la guerra,
te ofrecemos el Vino y el Pan.

//Pan y Vino sobre el altar
son ofrendas de amor.
Pan y Vino serán después
tu Cuerpo y Sangre, Señor//

Por los hombres que viven unidos;
por los hombres que buscan la paz;
por los pueblos que no te conocen,
te ofrecemos el Vino y el Pan.

//Pan y Vino sobre el altar
son ofrendas de amor.
Pan y Vino serán después
tu Cuerpo y Sangre, Señor//

Por aquellos a quienes queremos;
por nosotros y nuestra amistad;
por los vivos y por los difuntos,
te ofrecemos el Vino y el Pan.

//Pan y Vino sobre el altar
son ofrendas de amor.
Pan y Vino serán después
tu Cuerpo y Sangre, Señor//

121. POR TI MI DIOS

Por ti mi Dios,
cantando voy
la alegría de ser
tu testigo, Señor.

Es fuego tu Palabra
que mi boca quemó.
Mis labios ya son llamas
y cenizas mi voz.
Da miedo proclamarte
pero Tú me dices:
"¡No temas! Contigo estoy."

Por ti mi Dios,
cantando voy
la alegría de ser
tu testigo, Señor.

Me mandas que cante
con toda mi voz.
No sé cómo cantar
tu mensaje de amor.
Los hombres me preguntan
cuál es mi misión.
Les digo: "Testigo soy"

Por ti mi Dios,
cantando voy
la alegría de ser
tu testigo, Señor.

122. PROTÉGEME DIOS MÍO

Coro
//Protégeme Dios mío.
Me refugio en ti.//

El Señor es mi verdad.
Me refugio en ti.
Conmigo va el Señor.
Me refugio en ti.
Coro
Mi suerte está en su mano.
Me refugio en ti.
Siempre tengo al Señor.
Me refugio en ti.
Coro
Con Él cambiaré.
Me refugio en ti.
Con Él no moriré.
Me refugio en ti.
Coro
Se alegra el corazón.
Me refugio en ti.
Conmigo va el Señor.
Me refugio en ti.
Coro
Me enseñas el camino.
Me refugio en ti.
Nunca me dejarás.
Me refugio en ti.
Coro
Cantemos al Señor.
Me refugio en ti.
Él es nuestra heredad.
Me refugio en ti.
Coro

123. PUEDO CONFIAR

Si el sol llegara a oscurecer
y no brilla más,
yo igual confío en el Señor.
No me va a fallar.

Puedo confiar (puedo confiar)
en el Señor (que me va a guiar)
Puedo descansar (puedo descansar)
en la mansión (Cristo me dará)
Puedo confiar (puedo confiar)
en el Señor (no me va a fallar)

Si Dios me brinda su amistad,
no me va a fallar.
Puedo creer en el Señor,
Él me ayudará.

Puedo confiar (puedo confiar)
en el Señor (que me va a guiar)
Puedo descansar (puedo descansar)
en la mansión (Cristo me dará)
Puedo confiar (puedo confiar)
en el Señor (no me va a fallar)

Si el viento llega a enmudecer
dejando de soplar,
yo igual confío en el Señor.
No me va a fallar.

Puedo confiar (puedo confiar)
en el Señor (que me va a guiar)
Puedo descansar (puedo descansar)
en la mansión (Cristo me dará)
Puedo confiar (puedo confiar)
en el Señor (no me va a fallar)

124. QUÉ ALEGRÍA CUANDO ME DIJERON

Coro
Qué alegría cuando me dijeron:
"Vamos a la casa del Señor".
Ya están pisando nuestros pies,
tus umbrales, Jerusalén.

Jerusalén está fundada
como ciudad bien compacta.
Allá suben las tribus;
las tribus del Señor.

Coro

Según la costumbre de Israel
a celebrar el nombre del Señor.
En ella están los tribunales de justicia
en el palacio de David.

Coro

Desead la paz a Jerusalén.
Vivan seguros los que te aman.
Haya paz dentro de tus muros,
en tus palacios seguridad.

Coro

Por mis hermanos y compañeros
voy a decir: "La paz contigo".
Por la casa del Señor, nuestro Dios,
te deseo el bien.

Coro

125. QUÉ BIEN SE ESTÁ AQUÍ

// Qué bien se está aquí
en tu presencia.
Glorioso por siempre Señor.

Qué bien se está aquí
a tu lado
sintiendo tu paz y tu amor.

Cuán hermoso eres Señor.
Tú no tienes comparación.
Quiero permanecer
por siempre en tu amor.//

Cuán hermoso eres Señor.
Tú no tienes comparación.
Quiero permanecer
por siempre en tu amor.

/// Con todo mi corazón
te adoro Señor///

Qué bien se está aquí
en tu presencia

126. QUÉ BONITO SERÍA EL MUNDO

Si la gente dejara sus odios,
sus falsos orgullos
y el miedo de amar...

**//¡Qué bonito sería este mundo
rodeado de amor,
de ternura y bondad!//**

Si la gente tendiera sus manos,
y abriera sus brazos
en vez de pelear...

**//¡Qué bonito sería este mundo
rodeado de amor,
de ternura y bondad!//**

Si al caído, en vez de aplastarlo,
le dieran apoyo
y nueva dignidad...

**//¡Qué bonito sería este mundo
rodeado de amor,
de ternura y bondad!//**

Si entre hermanos no hubiese contiendas.
Si todos los pueblos
viviesen en paz...

**//¡Qué bonito sería este mundo
rodeado de amor,
de ternura y bondad!//**

127. QUÉDATE CONMIGO

No importa cuántas veces he pedido,
la respuesta no la puedo encontrar.
Niño Dios, quédate conmigo
que sin Ti no puedo caminar.

//Sólo pido quédate conmigo,
Niño Dios en mi caminar.
Eres Tú mi único destino.
Sin tu amor no puedo continuar.//

No importa cuántas veces he llorado,
buscando consuelo en tu altar.
Hoy te pido, quédate conmigo
Niño Dios es éste tu hogar.

//Sólo pido quédate conmigo,
Niño Dios en mi caminar.
Eres Tú mi único destino.
Sin tu amor no puedo continuar.//

No importa cuántas veces he caído,
sé que siempre me levantarás.
No olvides Dios, estoy contigo,
es tu fuerza. Mi serenidad.

//Sólo pido quédate conmigo,
Niño Dios en mi caminar.
Eres Tú mi único destino.
Sin tu amor no puedo continuar.//

Sin tu amor no puedo continuar
Sin tu amor no puedo continuar

128. QUÉDATE SEÑOR

Quédate Señor
Quédate Señor
Quédate Señor en cada corazón

Quédate Señor
Quédate Señor
Quédate Señor aquí, aquí, aquí

El Espíritu de Dios se mueve,
se mueve, se mueve.
El Espíritu de Dios se mueve
dentro de tu corazón.

Oh hermano deja que se mueva,
se mueva, se mueva.
Oh hermano deja que se mueva
dentro de tu corazón

129. QUERIDO PADRE

Querido Padre cansado vuelvo a Ti.
Haz que conozca el don de tu amistad.
Vivir por siempre el gozo del perdón
y en tu presencia poder yo caminar.

Pongo en tus manos mis culpas, oh Señor.
Estoy seguro de que eres siempre fiel.
Dame la fuerza para poder andar
buscando en todo hacer tu voluntad.

**//Padre, yo busco tu amor.
Padre, vuelvo a ti.
Mira que tu hijo soy.
Padre, vuelvo a ti.//**

Lo reconozco... a veces olvidé
que eres mi Padre y que a mi lado estás.
Que soy tu hijo y me aceptas como soy.
Sólo me pides Vive en sinceridad.

Quiero sentirte cercano a mí, Señor.
Oír tu voz que me habla al corazón.
Sentirme libre desde tu libertad.
Ser signo vivo de la fraternidad.

**//Padre, yo busco tu amor.
Padre, vuelvo a ti.
Mira que tu hijo soy.
Padre, vuelvo a ti.//**

130. ¿QUIÉN ES ESE?

//¿Quién es ese que camina sobre el agua?
¿Quién es ese que a los sordos hace oír?
¿Quién es ese que a los muertos resucita?
¿Quién es ese que su nombre quiero oír?//

//Es Jesús. Es Jesús.
¡Dios y hombre que nos guía con su luz!//

//¿Quién es ese que los mares obedecen?
¿Quién es ese que a los mudos hace hablar?
¿Quién es ese que da paz al alma herida
y el pecado con su muerte perdonó?//

//Es Jesús. Es Jesús.
¡Dios y hombre que nos guía con su luz!//

//¿Quién es ese que a nosotros ha llegado?
¿Quién es ese Salvador y Redentor?
¿Quién es ese que su Espíritu nos deja
y transforma nuestra vida con su amor?//

//Es Jesús. Es Jesús.
¡Dios y hombre que nos guía con su luz!//

131. RECIBE, OH DIOS

Recibe, oh Dios, el pan que presentamos.
Luego será el cuerpo de Jesús.
También acepta nuestro sacrificio,
nuestra oración y nuestro corazón.

Recibe, oh Dios, el vino presentado.
Luego será la sangre de Jesús.
También acepta nuestro sacrificio,
nuestra oración y nuestro corazón.

Recíbelos, Señor, por nuestras faltas.
Por los que están aquí junto al altar.
Por los cristianos vivos y difuntos.
Por todo el mundo por su salvación.
Por todo el mundo por su salvación.

132. RECÍBELO SEÑOR

//Recíbelos Señor.
Acéptalos Señor.
Te lo pedimos Señor.//

Te ofrecemos hoy Señor
estos dones de la tierra
que por tu inmensa largueza,
nos das como Creador.

//Recíbelos Señor.
Acéptalos Señor.
Te lo pedimos Señor.//

Acéptalos con amor
que es tu pueblo quien te ofrece
con súplicas y con preces,
te lo pedimos Señor.

//Recíbelos Señor.
Acéptalos Señor.
Te lo pedimos Señor.//

Con este Pan y este Vino
celebra tu santa Iglesia
que los dones que te obsequia
transformas en ser divino.

//Recíbelos Señor.
Acéptalos Señor.
Te lo pedimos Señor.//

133. SABER QUE VENDRÁS

En este mundo que Cristo nos da,
hacemos la ofrenda el pan,
el pan de nuestro trabajo sin fin
y el vino de nuestro cantar.
Traigo ante Ti nuestra justa inquietud,
amar la justicia y la paz.

**//Saber que vendrás,
saber que estarás
partiendo a los pobres tu pan.//**

La sed de todos los hombres sin luz,
la pena y el triste llorar,
el odio de los que mueren sin fe
cansados de tanto luchar.
En la patena de nuestra oblación,
acepta la vida Señor.

**//Saber que vendrás,
saber que estarás
partiendo a los pobres tu pan.//**

134. SAGRADO CORAZÓN DE JESÚS

Oh Jesús a tu corazón confío mi necesidad.
Mírala y después deja tu corazón actuar.

Oh Jesús, yo cuento contigo y confío en ti.
Oh Jesús de ti estoy seguro, yo me entrego a ti.

Tú que has dicho si quieres agradarme,
confía en mí. Si quieres agradarme más,
confía más inmensamente más
Confía más inmensamente más confía

Las almas que confían en Ti serán recompensadas por ti
Sagrado Corazón de Jesús yo confío en ti.

Las almas que confían en Ti serán recompensadas por ti
Sagrado Corazón de Jesús yo confío en ti

No habrá confusión que dure por siempre.
Yo sé en quién he creído.

Y mi esperanza nos será defraudada
pues tú has dicho si quieres agradarme
confía en mí. Si quieres agradarme más
confía más inmensamente más
Confía más inmensamente más confía

Las almas que confían en Ti serán recompensadas por ti
Sagrado Corazón de Jesús yo confío en ti.

Las almas que confían en Ti serán recompensadas por ti
Sagrado Corazón de Jesús yo confío en ti

135. SALMO 23

Aunque marche por la oscuridad
nada he de temer
porque Tú conmigo vas
mi Pastor que me hace sosegar.

Tú que me conduces
a tus fuentes de paz.
Tú me has bautizado
por tu senda voy

Aunque marche por la oscuridad
nada he de temer
porque Tú conmigo vas
mi Pastor que me hace sosegar.

Tú que me prepares
tu mesa en la fe.
Tú me das la copa
rebozando está.

Aunque marche por la oscuridad
nada he de temer
porque Tú conmigo vas
mi Pastor que me hace sosegar.

Tu bondad conmigo
llega hasta el final.
y mi vida entera
para Ti será.

Aunque marche por la oscuridad
nada he de temer
porque Tú conmigo vas
//mi Pastor que me hace sosegar.//

136. SALMO 117

CORO
Este es el día en que actuó el Señor
sea nuestra alegría y nuestro gozo
Dad gracias al Señor porque es bueno
porque es eterna su misericordia
Aleluya, aleluya.

Que lo diga la casa de Israel,
es eterna su misericordia.
Que lo diga la casa de Aarón,
es eterna su misericordia.
Que lo digan los fieles del Señor,
es eterna su misericordia.
CORO

Escuchad, hay cantos de victoria
en las tiendas de los justos.
La diestra del Señor es poderosa,
es excelsa la diestra del Señor.
CORO

Abridme las puertas del triunfo
y entraré para dar gracias al Señor.
Esta es la puerta del Señor.
Los vencedores entrarán por ella.
Yo no he de morir, yo viviré
para cantar las hazañas del Señor.
CORO

La piedra que el cantero desechó
es ahora la piedra angular.
Es el Señor quien lo ha hecho,
esto ha sido un milagro patente.
Te doy gracias porque me escuchaste,
porque fuiste mi salvación.

137. SALMO 119
(TU PALABRA ME DA VIDA)

Tu Palabra me da vida.
Confío en Ti, Señor.
Tu Palabra es eterna,
en ella esperaré.

Dichoso el que con vida intachable
camina en la Ley del Señor.
Dichoso el que, guardando sus preceptos,
los busca de todo corazón.

Postrada en polvo está mi alma,
devuélveme la vida tu Palabra.
Mi alma está llena de tristeza,
consuélame, Señor, con tus promesas.

Escogí el camino verdadero
y he tenido presente tus decretos.
Correré por el camino del Señor
cuando me hayas ensanchado el corazón.

Este es mi consuelo en la tristeza
sentir que tu Palabra me da vida.
Por las noches me acuerdo de nombre
recorriendo tu camino, dame vida.

Tu Palabra me da vida.
Confío en Ti, Señor.
Tu Palabra es eterna,
en ella esperaré.

138. SANTO ESPÍRITU VEN MORA EN MÍ

//Santo Espíritu ven mora en mí.
Rompe mis prisiones tú
Ya no mires mi pecado.
Mira hoy mi corazón//

//Lo entrego a ti como ofrenda de amor.
Como incienso agradable de grato loor.
Ven construye en mi ser un hogar para ti, Espíritu Santo//

Santo Espíritu ven mora en mí.
Rompe mis prisiones.
Ya no mires mi pecado.
Mira hoy mi corazón.

//Lo entrego a ti como ofrenda de amor.
Como incienso agradable de grato loor.
Ven construye en mi ser un hogar para ti, Espíritu Santo//
Ven construye en mi ser un hogar para ti, Espíritu Santo

139. SATÚRAME SEÑOR

////Satúrame Señor con tu Espíritu.////
//y déjame sentir el fuego de tu amor
aquí en mi corazón Señor//

////Límpiame Señor con tu Espíritu.////
//y déjame sentir el fuego de tu amor
aquí en mi corazón Señor//

////Libérame Señor con tu Espíritu.////
//y déjame sentir el fuego de tu amor
aquí en mi corazón Señor//

////Sáname Señor con tu Espíritu.////
//y déjame sentir el fuego de tu amor
aquí en mi corazón Señor//

////Purifícame Señor con tu Espíritu.////
//y déjame sentir el fuego de tu amor
aquí en mi corazón Señor//

////Santifícame Señor con tu Espíritu.////
//y déjame sentir el fuego de tu amor
aquí en mi corazón Señor//

140. SEÑOR ÚNGEME

Señor me tienes ante tu presencia.
Con dulce voz a ti yo clamaré.
Escucha buen Señor mi oración
que te ofrezco.

En ti me gozaré Señor Jesús.
A ti mi vida entera rendiré.
Tu gracia y tu poder me alegrarán
para siempre.

**Oh Señor Jesús úngeme
y hazme dócil como tú quieras.
Tómame y dame fuerzas
para seguir tu camino**

**Oh Señor Jesús úngeme
y hazme dócil como tú quieras.
Tómame y dame fuerzas
para seguir tu camino**

En ti me gozaré Señor Jesús.
A ti mi vida entera rendiré.
Tu gracia y tu poder me alegrarán
para siempre.

**Oh Señor Jesús úngeme
y hazme dócil como tú quieras.
Tómame y dame fuerzas
para seguir tu camino**

**Oh Señor Jesús úngeme
y hazme dócil como tú quieras.
Tómame y dame fuerzas
para seguir tu camino**

141. SI ME FALTA EL AMOR

Aunque yo dominara las lenguas arcanas
y el lenguaje del Cielo supiera expresar,
solamente sería una hueca campana
si me falta el amor.

**//Si me falta el amor, no me sirve de nada.
Si me falta el amor, nada soy//**

Aunque todos mis bienes dejase a los pobres
y mi cuerpo en el fuego quisiera inmolar,
todo aquello sería una inútil hazaña
si me falta el amor.

**//Si me falta el amor, no me sirve de nada.
Si me falta el amor, nada soy//**

Aunque yo develase los grandes misterios
y mi fe las montañas pudiera mover,
no tendría valor ni me sirve de nada
si me falta el amor.

**//Si me falta el amor, no me sirve de nada.
Si me falta el amor, nada soy//**

142. SI TUVIERAS FE

//Si tuvieras fe como un granito de mostaza,
eso lo dice el Señor//
//Tú le dirías a esa montaña
Muévete, muévete.//
Esa montaña se moverá, se moverá, se moverá.
Esa montaña se moverá, se moverá, se moverá.

//Si tuvieras fe como un granito de mostaza,
eso lo dice el Señor//
//Tú le dirías a los enfermos
Sánense, sánense.//
Y los enfermos se sanarán, se sanarán, se sanarán.
Y los enfermos se sanarán, se sanarán, se sanarán.

//Si tuviera fe como un granito de mostaza,
eso lo dice el Señor//
//Yo le diría al paralítico
Párate, párate.//
Y el paralítico se parará, se parará, se parará.
Y el paralítico se parará, se parará, se parará.

//Si tuviera fe como un granito de mostaza,
eso lo dice el Señor//
//Yo le diría al que está triste
Alégrate, alégrate//
Y el que está triste se alegrará, se alegrará, se alegrará.
Y el que está triste se alegrará, se alegrará, se alegrará.

143. SI YO NO TENGO AMOR
Coro
**//Si yo no tengo amor,
yo nada soy, Señor//**

El amor es comprensivo.
El amor es servicial.
El amor no tiene envidia.
El amor no busca el mal.

El amor nunca se irrita.
El amor no es descortés.
El amor no es egoísta.
El amor nunca es doblez.

El amor disculpa todo.
El amor es caridad.
No se alegra de lo injusto,
sólo goza en la verdad.

El amor soporta todo.
El amor todo lo cree.
El amor todo lo espera.
El amor es siempre fiel.

Nuestra fe, nuestra esperanza,
frente a Dios terminará.
El amor es algo eterno,
nunca, nunca, pasará.

144. SUMÉRGEME

Cansado del camino,
sediento de ti.
Un desierto he cruzado,
sin fuerzas he quedado,
vengo a ti.

Luché como soldado,
y a veces sufrí,
y aunque la lucha he ganado,
mi armadura he desgastado,
vengo a ti.

//Sumérgeme
en el río de tu Espíritu.
Necesito refrescar este seco corazón
sediento de ti//

Cansado del camino,
sediento de ti.
Un desierto he cruzado,
sin fuerzas he quedado,
vengo a ti.

Luché como soldado,
y a veces sufrí,
y aunque la lucha he ganado,
mi armadura he desgastado,
vengo a ti.

//Sumérgeme
en el río de tu Espíritu.
Necesito refrescar este seco corazón
sediento de ti//

Sumérgeme, Sumérgeme, Sumérgeme

145. TAL COMO SOY

Tal como soy Señor
sin nada que ofrecer
más que mi canción.
No tengo más que darte,
pues todo es tuyo Señor.

Tal como soy Señor
sin nada que entregar
más que el corazón.
Me entrego todo a ti,
tómame Señor, tal como soy.

//Acéptame como ofrenda de amor.
Como un sacrificio agradable en tu honor.
Grato perfume, yo quiero ser Señor.//

146. TE AMO PADRE

No sé cómo alabarte, ni que decir Señor.
Confío en tu mirada que me abre el corazón.
Toma mi pobre vida, que sencilla ante Ti,
quiere ser alabanza por lo que haces por mí.

**//Te amo Padre, te amo Padre,
te amo Padre, te amo a Ti//**

Siento en mí tu presencia, soy como Tú me ves.
Bajas a mi miseria, me llenas de tu paz.
Indigno de tus dones más por tu gran amor
tu Espíritu me llena, gracias te doy Señor.

**//Te amo Padre, te amo Padre,
te amo Padre, te amo a Ti//**

Gracias por tu Palabra, gracias por el amor.
Gracias por nuestra Madre, gracias te doy Señor.
Gracias por mis hermanos, gracias por el perdón.
Gracias porque nos quieres juntos en ti Señor.

**//Te amo Padre, te amo Padre,
te amo Padre, te amo a Ti//**

147. TE DEN GRACIAS

**//Te den gracias, todos los pueblos,
que todos los pueblos te den gracias//**

Señor, Señor, Señor
gracias te damos
por esta Misa que hemos celebrado.
Tu Cuerpo y Sangre hemos recibido,
volvemos a la vida entusiasmados.

**//Te den gracias, todos los pueblos,
que todos los pueblos te den gracias//**

Señor, Señor, Señor
gracias te damos
por esta Misa que hemos celebrado.
Tu Cuerpo y Sangre hemos recibido,
volvemos a la vida entusiasmados.

**//Te den gracias, todos los pueblos,
que todos los pueblos te den gracias//**

148. TE OFRECEMOS PADRE NUESTRO

Coro

**Te ofrecemos, Padre Nuestro,
con el vino y con el pan
nuestras penas y alegrías,
el trabajo y nuestro afán.**

Como el trigo de los campos,
bajo el signo de la cruz,
se transforman nuestras vidas
en el cuerpo de Jesús

A los pobres de la tierra
A los que sufriendo están
Cambia su dolor en vino
Como la uva en el lagar

Coro

Estos dones son el signo
del esfuerzo de unidad,
que los hombres realizamos
en el campo y la ciudad.

Es tu pueblo quien te ofrece
con los dones del altar,
la naturaleza entera
anhelando libertad.

149. TE PRESENTAMOS EL VINO Y EL PAN

Te presentamos el Vino y el Pan.
Bendito seas por siempre Señor.

Bendito seas, Señor,
por este Pan que nos diste,
fruto de la tierra
y del trabajo de los hombres.

Te presentamos el Vino y el Pan.
Bendito seas por siempre mi Señor.

Bendito seas, Señor,
el Vino Tú nos los diste,
fruto de la tierra
y del trabajo de los hombres.

Te presentamos el Vino y el Pan.
Bendito seas por siempre Señor.

150. TE SEGUIRÉ

Yo te buscaba hasta que te encontré, necesitaba de ti
Tú me llamaste y la puerta te abrí
Me revelaste tu amor
Y hoy mi Dios
Quiero vivir junto a ti

Tú te entregaste y moriste por mi
Me regalaste el perdón
Ahora tu vives en mi corazón
Todo lo puedo en ti
Aquí estoy
Todo es tuyo señor

Coro
Te seguiré hasta el final
No quiero ya mirar atrás
Mi corazón cantará
Que Tú eres Dios

// Oh, oh, oh
Oh, oh
Oh, oh, oh //

Tu eres la meta que quiero alcanzar
Vida camino y verdad
Con mis hermanos vamos a luchar
Juntos por la santidad
Por tu amor
Todos podemos cantar

Coro

///La cruz delante va
Y el mundo queda atrás
Contigo voy hasta la eternidad///

La cruz delante va
Y el mundo queda atrás
Contigo voy hasta el final

151. TESTIGOS

//Nos envía por el mundo
a anunciar la buena nueva. //

//Mil antorchas encendidas
y una nueva primavera. //

//Si la sal se vuelve sosa,
quién podrá salar al mundo.//

//Nuestra vida es levadura,
nuestro amor será fecundo. //

//Siendo siempre tus testigos
cumpliremos el destino//

//Sembraremos de esperanza
y alegría los caminos//

//Cuanto soy y cuanto tengo,
la ilusión y el desaliento.//

//Yo te ofrezco mi semilla
y tú pones el fermento. //

152. TODOS LOS QUE HAN SIDO BAUTIZADOS

CORO
Todos los que han sido bautizados
//han sido revestidos de Cristo Jesús//

Hemos sido bautizados, en tu nombre Buen Señor,
y lavados del pecado en la fuente de tu amor.

CORO

Pueblo tuyo todos somos, danos hoy tu protección.
Danos fuerza en la lucha. Danos vida, Buen Pastor.

CORO

Que salvados por la sangre de Jesús el Salvador,
siempre sigamos sus pasos con fe viva y con amor.

CORO

Que el Espíritu Divino nos dirija y dé sostén,
en la lucha por la vida, y nos guíe hasta el Edén.

CORO

153. TOMA MI VIDA

Esto que te doy es vino y pan Señor.
Esto que te doy es mi trabajo,
es mi corazón, mi alma,
es mi cuerpo y mi razón,
el esfuerzo en mi caminar.

Esto que te doy es vino y pan Señor.
Es mi amor; también es mi dolor,
es la ilusión, mis sueños,
es mi gozo y mi llorar,
es mi canto y mi oración.

Toma mi vida, *(mi vida)* **ponla en tu corazón.**
Dame tu mano, *(tu mano)* **y llévame.**
Cambia mi pan en tu carne y mi vino en tu sangre
y a mí Señor, renuévame, límpiame y sálvame.

Esto que te doy, no solo yo Señor.
Esta voz también es de mi hermano,
es la unión, la paz, el orden,
la armonía y felicidad,
es un canto en comunidad.

Toma mi vida, *(mi vida)* **ponla en tu corazón.**
Dame tu mano, *(tu mano)* **y llévame.**
Cambia mi pan en tu carne y mi vino en tu sangre
y a mí Señor, renuévame, límpiame y sálvame.

154. TOMAD SEÑOR Y RECIBID

**Tomad Señor y recibid
la ofrenda que traigo
pan y vino al altar
que pronto se convertirán
en tu Cuerpo y tu Sangre
don de tu santidad. *(Bendito seas)***

Traigo junto al pan y a este vino
la alegría que tengo de servirte Señor.
Te pido que me aceptas con ellos
gracias por invitarme a esta fiesta de amor.

**Tomad Señor y recibid
la ofrenda que traigo
pan y vino al altar
que pronto se convertirán
en tu Cuerpo y tu Sangre
don de tu santidad. *(Bendito seas)***

Traigo junto al pan y a este vino
el dolor de las almas que no saben de ti.
También las intenciones de tantos
para que los bendigas, les des de tu paz.

Tomad Señor y recibid...

155. TOMADO DE LA MANO

//Si Jesús me dice amigo,
deja todo, y ven conmigo,
a un lugar que es más hermoso y más feliz...//

//Tomado de la mano, yo voy con Él.
Tomado de la mano, yo voy con Él.
Tomado de la mano, yo voy con Él,
a dónde Él va//

//Si Jesús me dice amigo,
deja todo, y ven conmigo,
yo mis manos pongo en las suyas y voy con Él//

//Tomado de la mano, yo voy con Él.
Tomado de la mano, yo voy con Él.
Tomado de la mano, yo voy con Él,
a dónde Él va//

156. TÓMAME SEÑOR

Oh Señor!, muéstrame el camino
que debo de seguir.
Ilumíname el sendero
que me llevará hacia Ti.

Señor estoy cansado
de buscar y no encontrar.
Señor dame tu mano
que en Ti quiero descansar.

Porque en Ti Señor
lo que no hallaba, encontré.
Porque en Ti Señor,
la verdad yo pude ver.

Tómame Señor (Tómame Señor)
Llévame contigo (Llévame contigo)
Muéstrame tu amor.
Sin ti estoy perdido.
Tómame Señor (Señor)

Oh Señor!, mi alma te desea.
Ella tiene sed de ti.
Yo mi corazón te abro
para que mores en mí.

Señor te doy mi vida.
Haz lo que quieras en mí.
Señor estoy dispuesto.
En ti, yo quiero vivir.

Porque en Ti Señor
lo que no hallaba, encontré.
Porque en Ti Señor,
la verdad yo pude ver.

//Tómame Señor (Tómame Señor)
Llévame contigo (Llévame contigo)
a un lugar en donde pueda contemplarte.
Tómame Señor, llévame contigo
no permitas que nada me aparte de ti.//

Tómame Señor (Tómame)

Tómame Señor

157. TRANSFÓRMAME

Señor, tu gusano sueña
ser mariposa.
Ya no quiero arrastrarme.
Tengo ansias de volar.
Ser como río
donde caiga agua del cielo,
sin que nadie la pueda
dividir ni separar.

**Transfórmame
y quema mis alas.
Mi Dios y mi Señor
conviérteme a ti.**

**Transfórmame
y reina en mi vida,
que ya no viva yo,
que tú vivas en mí.**

Ser como vela, unir mi llama junto a la tuya.
Que se unan en una para más claridad.
Busco tu rostro.
Ardo en deseos de contemplarte.
Rompe ya mis cadenas.
Quiero sentir tu verdad.

**//Transfórmame
y quema mis alas.
Mi Dios y mi Señor
conviérteme a ti.**

**Transfórmame
y reina en mi vida,
que ya no viva yo,
que tú vivas en mí.//**

158. TU AMOR ES MEJOR QUE LA VIDA

//Tu amor
es mejor que la vida, Señor.
Vale más un día en tus atrios
que mil en mi casa.

Te adoro y te amo,
me postro ante Ti,
Tu amor es mejor que la vida
y es todo para mí//

Te adoro y te amo.
Me postro ante Ti.
Tu amor es mejor que la vida
y es todo para mí.

159. TU PALABRA ME DA VIDA

Tu Palabra me da vida.
Confío en Ti Señor.
Tu Palabra es eterna.
En ella esperaré.

Dichoso el que con vida intachable
camina en la Ley del Señor.
Dichoso el que guardando sus preceptos,
lo busca de todo corazón.

Tu Palabra me da vida.
Confío en Ti Señor.
Tu Palabra es eterna.
En ella esperaré.

Esté en mi consuelo en la tristeza,
sentir que tu Palabra me da vida.
Por las noches me acuerdo de tu Nombre,
recorriendo tu camino dame vida.

Tu Palabra me da vida.
Confío en Ti Señor.
Tu Palabra es eterna.
En ella esperaré.

Repleta esta Tierra de tu gracia,
enséñame Señor tus decretos.
Mi herencia son tus mandatos,
alegría de nuestro corazón.

Tu Palabra me da vida.
Confío en Ti Señor.
Tu Palabra es eterna.
En ella esperaré.

160. TÚ REINARÁS

Tú reinarás. Este es el grito
que ardiente exhala nuestra fe.
Tú reinarás, oh Dios bendito,
pues Tú dijiste reinaré.

Reine Jesús por siempre.
Reine su corazón.
//En nuestra patria,
en nuestro suelo,
que es de María la nación//

Tú reinarás dichosa era,
dichoso pueblo con tal Rey.
Habrá por fin paz en la Tierra,
felicidad habrá doquier.

Reine Jesús por siempre.
Reine su corazón.
//En nuestra patria,
en nuestro suelo,
que es de María la nación//

161. UN DÍA DE BODAS

Un día de bodas el vino faltó.
Imposible poderlo comprar.
¡Qué bello milagro hiciste, Señor,
con el agua de aquel manantial!

Colmaste hasta el borde del vino mejor,
las tinajas que pude llenar.
Yo puse mi esfuerzo, yo puse mi afán,
Tú pusiste Señor lo demás.

Coro
Es muy poco Señor lo que vengo a traer.
Es muy poco lo que puedo dar.
Mi trabajo es el agua que quiero ofrecer,
y mi esfuerzo un pedazo de pan.

Es muy poco Señor lo que vengo a traer.
Es muy poco lo que puedo dar.
En tus manos divinas lo vengo a poner,
Tú ya pones Señor lo demás.

La gente con hambre cansada esperó,
en el prado que baja hasta el mar.
Con cuánto tenía a Ti se acercó,
un muchacho que quiso ayudar.

Tu mano en su frente, feliz descansó,
en sus ojos tu dulce mirar.
Él puso sus peces, él puso su pan,
Tú pusiste Jesús lo demás.

Coro

162. UN MANDAMIENTO NUEVO

**Coro
Un mandamiento nuevo
nos da el Señor
que nos amemos todos
como Él nos amó.**

La señal de los cristianos
es amarnos como hermanos.

Coro

Quien a sus hermanos no ama
miente si a Dios dice que ama.

Coro

Cristo luz, verdad y vida,
al perdón y amor invita.

Coro

Perdonemos al hermano
como Cristo ha perdonado.

Coro

En la vida y en la muerte,
Dios nos ama para siempre.

Coro

En trabajos y fatigas,
Cristo a todos nos anima.

Coro

Comulguemos con frecuencia
para amarnos a conciencia.

Coro

Gloria al Padre, Gloria al Hijo
y al Espíritu Divino.

163. UNA ESPIGA

Una espiga dorada por el sol.
El racimo que corta el viñador,
//se convierten ahora en Pan y Vino de amor,
en el Cuerpo y en la Sangre del Señor//

Recibimos la misma comunión.
Somos trigo del mismo sembrador.
//Un molino, la vida, nos tritura con dolor,
Dios nos hace Eucaristía en el amor//

Como granos que han hecho el mismo pan,
como notas que tejen un cantar,
//como gotas de agua que se funden en el mar,
los cristianos un cuerpo formarán//

En la mesa de Dios se sentarán,
como hijos su pan comulgarán,
//una misma esperanza caminando cantarán,
en la vida como hermanos se amarán//

164. UNA MIRADA DE FE

//Una mirada de fe, una mirada de fe
es la que puede salvar al pecador.//
Y si tú vienes a Cristo Jesús,
Él te perdonará
porque una mirada de fe
es la que puede salvar al pecador.

//Una mirada de amor, una mirada de amor
es la que puede salvar al pecador.//
Y si tú vienes a Cristo Jesús,
Él te perdonará
porque una mirada de amor
es la que puede salvar al pecador.

//Una mirada de Dios, una mirada de Dios
es la que puede salvar al pecador.//
Y si tú vienes a Cristo Jesús,
Él te perdonará
porque una mirada de Dios
es la que puede salvar al pecador.

165. VEN, VEN, VEN ESPÍRITU DIVINO

//Ven, ven, ven Espíritu Divino.
Ven, ven, ven acércate a mí//

//Apodérate, apodérate.
Apodérate de todo mi ser//

//Aquí se siente
la presencia de Dios//

//Siento el fuego
del Espíritu Santo//

//Siento gozo, siento paz.
Siento el amor que mi Dios me da//

//Aquí se siente
la presencia de Dios//

//Ven, ven, ven Espíritu Divino.
Ven, ven, ven acércate a mí//

166. VEN SANTO ESPÍRITU

//Ven Santo Espíritu.
Ven fuego de Dios,
Enciende en mí tu fuego de amor
y forma en mi interior
la imagen de Cristo el Señor//

**//Hazme santo, santo
como eres santo//**

Ven Santo Espíritu.
Ven fuego de Dios,
Enciende en mí tu fuego de amor
y forma en mi interior
la imagen de Cristo el Señor

**//Hazme santo, santo
como eres santo//**

//Ven Santo Espíritu.
Ven fuego de Dios,
Enciende en mí tu fuego de amor
y forma en mi interíor
la imagen de Cristo el Señor//

**//Hazme santo, santo
como eres santo//**

167. VENIMOS HOY A TU ALTAR

Coro
Venimos hoy a tu altar
a cantarte, Señor
//pues Tú eres la alegría
de nuestro corazón//

Tú hiciste los cielos
los llenas de estrellas,
de luz y color.
Tú pintaste la aurora,
hiciste las nubes,
las puestas del sol.

Coro

Tú creaste la risa,
la paz y la dicha,
la felicidad.
Tú al darnos la vida
nos das tus riquezas,
tu eterna amistad.

Coro

Tú nos dista a María,
nos diste tu Cuerpo,
tu sangre es manjar.
Tú nos diste esperanza,
la fe y nos hiciste
capaces de amar.

168. VIENEN CON ALEGRÍA

Coro
Vienen con alegría, Señor.
Cantando vienen con alegría, Señor.
//Los que caminan por la vida, Señor,
sembrando tu paz y amor.//

Vienen trayendo la esperanza
a un mundo cargado de ansiedad,
a un mundo que busca y que no alcanza
caminos de amor y de amistad.

Coro

Vienen trayendo entre sus manos,
esfuerzos de hermanos por la paz,
deseos de un mundo más humano
que nacen del bien y la verdad.

Coro

Cuando el odio y la violencia
aniden en nuestro corazón
el mundo sabrá que por herencia
le aguardan tristezas y dolor.

169. VIVE JESÚS EL SEÑOR

Vive Jesús el Señor.
Vive Jesús el Señor.
Vive Jesús el Señor.
Vive Jesús el Señor.
//Él vive, vive, vive, vive, vive Jesús el Señor//

Reina Jesús el Señor.
Reina Jesús el Señor.
Reina Jesús el Señor.
Reina Jesús el Señor.
//Él reina, reina, reina, reina, reina el Señor//

Sana Jesús el Señor.
Sana Jesús el Señor.
Sana Jesús el Señor.
Sana Jesús el Señor.
//Él sana, sana, sana, sana, sana Jesús el Señor//

170. YO CAMINO CON JESÚS

Yo camino con Jesús. Nada tengo que temer.
En el gozo y en la cruz, mi mirada es para Él.
Se acabaron para mí las angustias y el dolor.

//Pues mi Cristo me llenó de su vida y de su paz
y me dio tu tierno amor//

Esa paz que Tú me das es el fruto de tu amor.
Nadie la puede quitar si no arranca el corazón.
Tu justicia y tu poder nos llenan de tu bondad.

//Para nunca más volver, para nunca retornar
a tierras de oscuridad//

171. YO LE RESUCITARÉ

Yo soy el pan de vida.
El que viene a mí no tendrá hambre.
El que cree en mí no tendrá sed.
Nadie viene a mí
si el Padre no lo llama.

**Yo le resucitaré. Yo le resucitaré
Yo le resucitaré en el día final.**

El pan que yo daré
es mi Cuerpo, vida para el mundo.
El que siempre coma de mi carne,
vivirá en mí como yo vivo en mi Padre.

**Yo le resucitaré. Yo le resucitaré
Yo le resucitaré en el día final.**

Yo soy el pan de vida
que se prueba y no se siente hambre.
El que siempre coma de mi pan,
vivirá en mí como yo vivo en mi Padre.

**Yo le resucitaré. Yo le resucitaré
Yo le resucitaré en el día final.**

Yo soy agua viva
que se toma y no se siente sed.
El que siempre toma de mi agua,
vivirá en mí como yo vivo en mi Padre

**//Yo le resucitaré. Yo le resucitaré
Yo le resucitaré en el día final.//**

172. YO MISMO OS ELEGÍ

No me habéis vosotros elegido,
fui Yo mismo quien os elegí.
Ya no os llamo siervos sino amigos.
Permaneceréis para siempre junto a mí.

Yo soy la verdad. Soy el camino.
Soy la vida y la resurrección.
Quien me sigue no andará perdido,
pues Yo soy la luz; Yo soy vuestra salvación.

Tomad y comed, este es mi Cuerpo
que se entrega por vuestra salud.
Tomad y bebed, esta es mi Sangre
que yo derramé por vosotros en la cruz.

Recordad mi nuevo mandamiento
por el cual os reconocerán
que os améis los unos a los otros
como yo os amé hasta mi vida entregar.

Nosotros Señor te damos gracias
porque nos has hecho ver tu amor.
Nosotros Señor te seguiremos
//danos el valor, tu gracia y tu bendición//

173. YO NO SOY NADA

Yo no soy nada y del polvo nací
pero tú me amas y moriste por mí.
Ante la cruz sólo puedo exclamar
Tuyo soy, tuyo soy.

**Toma mis manos, te pido.
Toma mis labios, te amo.
Toma mi vida, oh Padre
tuyo soy, tuyo soy.**

Cuando de rodillas te miro Jesús,
veo tu grandeza y mi pequeñez.
Qué puedo darte yo, solo mi ser
Tuyo soy, tuyo soy.

**Toma mis manos, te pido.
Toma mis labios, te amo.
Toma mi vida, oh Padre
tuyo soy, tuyo soy.**

174. YO SÉ QUE ESTÁS AQUÍ

Yo sé que estás aquí mi Señor,
yo sé que estás aquí.

Yo sé que estás aquí mi Señor,
yo sé que estás aquí.

Mi alma te alaba.
Mi alma te alaba.
Mi alma te alaba
yo sé que estás aquí.

Mi alma te alaba.
Mi alma te alaba.
Mi alma te alaba
yo sé que estás aquí.

175. YO SOY TESTIGO

Yo soy testigo del poder de Dios.
Por el milagro que Él ha hecho en mí.
Yo estaba ciego más ahora veo la luz,
la luz divina que me dio Jesús.

No, no, no, nunca, nunca,
nunca me ha dejado.
Nunca, nunca me ha desamparado.
En la noche oscura o
en el día de prueba,
Jesucristo nunca me desamparará

176. YO TENGO FE

Yo tengo fe que todo cambiará
que triunfará por siempre el amor.
Yo tengo fe que siempre brillará
la luz de la esperanza no se apagará jamás

Yo tengo fe. Yo creo en el amor.
Yo tengo fe. También mucha ilusión
porque yo sé será una realidad
el mundo de justicia que ya empieza a despertar.

Yo tengo fe porque yo creo en Dios.
Yo tengo fe será todo mejor.
Se callarán el odio y el dolor
la gente nuevamente hablará de su ilusión.

Yo tengo fe. Los hombres cantarán
una canción de amor universal.
Yo tengo fe será una realidad
el mundo de justicia que ya empieza a despertar.

177. YO TENGO UN AMIGO

Yo tengo un amigo que me ama.
Me ama, me ama.
Yo tengo un amigo que me ama.
Su nombre es Jesús.

//Y estaré en la viña trabajando,
en la viña del Señor//

Tú tienes un amigo que te ama,
te ama, te ama.
Tú tienes un amigo que te ama.
Su nombre es Jesús.

//Y estarás en la viña trabajando,
en la viña del Señor//

Tenemos un amigo que nos ama,
nos ama, nos ama.
Tenemos un amigo que nos ama.
Su nombre es Jesús.

//Y estaremos en la viña trabajando,
en la viña del Señor//

Yo tengo una Madre que me ama,
me ama, me ama.
Yo tengo una Madre que me ama.
Su nombre es María.

//Y estaremos en la viña trabajando,
en la viña del Señor//

178. YO TENGO UN GOZO EN MI ALMA

Coro
Yo tengo un gozo en mi alma,
Un gozo en mi alma, un gozo en mi alma y en mi ser.
Es como río, río de agua viva,
río de agua viva en mi alma y en mi ser.

Ama a tu hermano y alaba a tu Señor.
Ama a tu hermano y alaba a tu Señor.
Da gloria a Dios, gloria a Dios, gloria a Él.
Ama a tu hermano y alaba a tu Señor.

Coro

Con alegría alaba a tu Señor.
Con alegría alaba a tu Señor.
Da gloria a Dios, gloria a Dios, gloria a Él.
Con alegría alaba a tu Señor.

Coro

No te avergüences y alaba a tu Señor.
No te avergüences y alaba a tu Señor.
Da gloria a Dios, gloria a Dios, gloria a Él.
No te avergüences y alaba a tu Señor.

Coro

Ama a María y alaba a tu Señor.
Ama a María y alaba a tu Señor.
Da gloria a Dios, gloria a Dios, gloria a Él.
Ama a María y alaba a tu Señor.

179. YO VINE A ALABAR A DIOS

Yo no sé a lo que tú has venido
pero yo vine a alabar a Dios.

Yo no sé a lo que tú has venido
pero yo vine a alabar a Dios.

**Yo vine, yo vine,
yo vine a alabar a Dios**

**Yo vine, yo vine,
yo vine a alabar a Dios**

Y que lo diga la gente: Yo vine a alabar a Dios
Más alto que no se oye: Yo vine a alabar a Dios

**Yo vine, yo vine,
yo vine a alabar a Dios**

**Yo vine, yo vine,
yo vine a alabar a Dios**

Canciones Marianas

180. BENDITA SEA TU PUREZA

Bendita sea tu pureza
y eternamente lo sea,
pues todo un Dios se recrea,
en tan preciosa belleza.

A Ti celestial princesa,
Virgen Sagrada María,
Yo te ofrezco en este día,
alma vida y corazón.

//Míranos con compasión,
no nos dejes, Madre mía.//

Échanos tu bendición
Todas las horas del día
Y también las de la noche
Virgen Sagrada María

//Y si en algo te ofendiere
Perdónanos Madre mía//

181. EL 13 DE MAYO

El 13 de mayo la Virgen María
bajó de los cielos a Cova da Iría.
Ave, Ave, Ave María.
Ave, Ave, Ave María.

A tres pastorcitos la Madre de Dios,
descubre el misterio de su Corazón
Ave, Ave, Ave María.
Ave, Ave, Ave María.

El Santo Rosario constantes rezad,
y la paz al mundo el Señor dará
Ave, Ave, Ave María.
Ave, Ave, Ave María.

Haced penitencia, haced oración,
por los pecadores implorad perdón.
Ave, Ave, Ave María.
Ave, Ave, Ave María.

Mi amparo a los pueblos
habré de prestar,
si el Santo Rosario me quieren rezar.
Ave, Ave, Ave María.
Ave, Ave, Ave María.

Rezad por el Papa,
rezad por la Iglesia,
por los pecadores haced penitencia.
Ave, Ave, Ave María.
Ave, Ave, Ave María.

182. HIMNO AL PERPETUO SOCORRO

Tu Perpetuo Socorro, dulcísima María,
venimos este día, humildes a implorar;
tu piedad y tu amor, Madre mía,
desde el cielo me socorrerá.

Madre querida, tu Perpetuo Socorro,
toda mi vida quiero invocar.
y en tus brazos al cielo llegar
y en tus brazos al cielo llegar.

183. HIMNO VIRGEN DEL CARMEN

La Virgen del Carmen
es nuestra protectora,
nuestra defensora,
No hay nada que temer.

// Vence al mundo,
demonio y carne.
Guerra a guerra contra Lucifer.//

Patrona de Hatillo,
es la Virgen del Carmen
protectora y madre
de todo feligrés.

/ /El pueblo de Hatillo,
sus campos y valles,
cantan jubilosos hasta enronquecer/ /

La Virgen del Carmen
es nuestra protectora
nuestra defensora,
No hay nada que temer,

//Vence al mundo,
demonio y carne
Guerra, guerra contra Lucifer,//

184. HIMNO VIRGEN DE LA PROVIDENCIA

Virgen Santa de la Providencia
Madre de clemencia,
honor del Caribe;
Protectora Borinquen te aclama,
Patrona te llama
y a tu amparo vive.

Los boricuas, tus hijos amados,
llegan confiados
a buscar los bienes
que les brinda con todo cariño
por tu mano el Niño
que en los brazos tienes.

Ese Niño que reposa en calma
despierto en el alma
en Borinquen sueña y se alegra
de que hayas querido
por trono escogido
tierra borinqueña.

Puerto Rico te tiende su brazo,
sólo en tu regazo
descansar añora;
y te pide que sigas constante
siendo en todo instante
su fiel Protectora.

185. JUNTOS CON MARÍA

La Reina del Cielo, la Madre de Dios
ella es la modelo de mi inspiración.
Coro
**//Alaba al Señor junto con María
verás que te llenas de paz y alegría. //**

Ven, hermano mío, sigamos su ejemplo,
alabando a Dios en todo momento.
Coro
Bendice a tu Dios junto con María,
verás que te llenas de paz y alegría.
Coro
Cuando en su presencia ella le alababa,
de alegría y gozo su alma se llenaba.
Coro
Alegría y paz son las maravillas
Que Dios te dará cuando la bendigas
Coro
Sigue la obediencia que tiene María,
verás que te llenas de paz y alegría.
Coro
Sé un esclavo a libre como lo es María,
verás que te llenas de paz y alegría.
Coro
Deja que te enseñe, que sea tu guía
verás que te llenas de paz y alegría
///Coro//

186. MADRE DE LA LUZ

Coro

**//María, tú eres, Madre de la luz,
lámpara encendida,
fuego luminoso
que ofrece a Jesús.//**

Eres luz del mundo, tú su portadora,
el reflejo vivo lo das a tus hijos.
Tú antorcha nueva, fuego inapagable,
luz que es plena vida, amor de Dios inagotable.

Coro

Llévanos, oh Madre a regiones nuevas,
donde el fuego arde, y la paz recrea.
Llévanos, oh, tú, Madre de la luz,
al encuentro vivo, al mirar profundo,
al abrazo amigo, con tu Primogénito Cristo Jesús.

Coro

Las noches son fuertes, oscuras y densas,
muchas son tinieblas, marcha con nosotros
Madre de la luz Y tendremos siempre
aurora de vida, encuentro divino,
espíritu nuevo en tu sol Jesús.

187. MIENTRAS RECORRES LA VIDA

Mientras recorres la vida, tú nunca solo estás
contigo por el camino, Santa María va.

CORO
//Ven con nosotros a caminar,
Santa María, ven.//

Aunque te digan algunos que nada puedes cambiar
lucha por un mundo nuevo, lucha por la verdad.

CORO

Si por el mundo los hombres sin conocerse van,
no niegues nunca tu mano al que contigo está.

CORO

Aunque parezcan tus pasos inútil caminar
tú vas haciendo caminos, otros lo seguirán.

CORO

188. PLENA A LA VIRGEN DE LA PROVIDENCIA

Coro

**// Como el verde de los campos,
como el canto del coquí.
Virgen de la providencia,
tú también eres de aquí. //**

Porque miras con ternura
esta tierra en que nací,
Virgen de la Providencia
tú también eres de aquí.

Coro

Orgullo de nuestra raza
eres la canción de Dios,
que se canta aquí en Borinquen
para llenarnos de amor.

Coro

Por eso es que yo repito
Madre de Cristo y de mí,
Virgen de la Providencia
tú también eres de aquí.

Coro

Como el verde de los campos,
Como el canto del coquí.
Virgen de la providencia ... (pausa)

Tú también eres de aquí.
COQUÍ

189. QUIÉN SERÁ LA MUJER

Quién será la mujer que a tantos inspiró
poemas bellos de amor.
Le rinden honor la música, la luz,
el mármol, la palabra y el color.

Quién será la mujer que el rey y el labrador
invocan en su dolor;
el sabio, el ignorante, el pobre y el señor,
el santo al igual que el pecador.

**//María es esa mujer
que desde siempre el Señor se preparó,
para nacer como una flor
en el jardín que a Dios enamoró.//**

Quién será la mujer radiante como el sol
vestida de resplandor,
la luna a sus pies, el cielo en derredor
y ángeles cantándole su amor.

Quién será la mujer humilde que vivió
en un pequeño taller,
amando sin milagros, viviendo de su Fe,
la esposa siempre alegre de José.

**//María es esa mujer
que desde siempre el Señor se preparó,
para nacer como una flor
en el jardín que a Dios enamoró.//**

190. VIRGEN DEL CARMEN

Coro
//Virgen del Carmen que linda eres
échame Madre tu bendición//

Para celebrar tu día
Se abrirán todas las flores
y entonarán los cantores
un concierto de alegría

Coro

Escucha mi oración
Bendita, Virgen, bendita
porque tu cuerpo infinito
recibe mi corazón

Coro

Eres, oh, Virgen del Carmen
escogida solo una
Eres más linda que el sol
las estrellas y la luna

Coro

Tú eres nuestra patrona
oh madre, la más hermosa
Tu pueblo Hatillo te ofrece
un ramillete de rosas

Coro

Los pescadores de Hatillo
hoy te quieten saludar
Tu llenas todas las redes
Porque eres reina del mar

Indice

Canciones Tiempo Ordinario

Canciones Marianas

Made in the USA
Middletown, DE
27 August 2021